궁금해,
너란 여행

궁금해, 너란 여행

2020년 12월 25일 초판 1쇄 발행
2020년 12월 25일 초판 1쇄 인쇄

지은이　　　│이주희

인쇄　　　　│아레스트
그림　　　　│이주희

펴낸이　　　│이장우
펴낸곳　　　│꿈공장 플러스
출판등록　　│제 406-2017-000160호
주소　　　　│서울 성북구 보국문로 16가길 43-20 꿈공장 1층
전화　　　　│010-4679-2734
팩스　　　　│031-624-4527
이메일　　　│ceo@dreambooks.kr
홈페이지　　│www.dreambooks.kr
인스타그램　│@dreambooks.ceo

ISBN　│979-11-89129-76-7

정 가　│12,500원

You=Fair Travel
공정여행이자, 지속가능한 여행이자,
그대도 할 수 있는 여행

쓰고 그린
이주희

chapter 1

검색의 시작

chapter 2

탐구의 과정

chapter 3

기록의 여정

chapter 4

너만의 여행

너란 스토리

"공정여행이 궁금해서 시작한
공정여행기획자입니다."

중이병이 도진 그 시절부터 내 꿈은 박물관 큐레이터였다. 막연히 역사가 좋았다. 역사의 일부를 전시하는 박물관을 평생의 업으로 삼고 싶었다. 고민도 없이 사학과로 진학했고, 전공으로 서양사를 복수전공으로 독일어문학을 공부했다. 그러다 졸업을 코앞에 두고서야 토익 고득점을 목표로 캐나다 어학연수를 떠났다. 한국을 벗어나 만난 세상은 상상보다 거대했다. 그 두근거림에 매료되어 배낭 하나 매고 세계 일주를 떠났다.

그곳에서 운명의 도시 "로마"를 만났다. 감흥 없이 신청했던 바티칸 박물관 투어는 인생의 전환점이 되었고, 역사와 예술을 설명하는 가이드라는 직업에 매료되어 돌아왔다.

박물관 학예사 대신 관광통역사 자격증을 취득했고, 발굴 현장 대신 ##투어 인턴으로 근무했다. 그렇게 나만의 준비를 끝내고, 이탈리아로 떠나 꿈에 그리던 로마 지식 가이드로 활동했다. 역사와 예술을 깊이 있게 공부할 수 있는 기회가 주어졌으며, 수많은 배낭여행자들을 만나고 소통할 수 있었다. 그렇게 이탈리아에서 청춘을 보냈다.

20대를 모범답안처럼 살아오지 않았기에 30대의 새로운 도전이 두렵지 않았다. 그때 지구를 살리는 여행, Fair Travel을 만났다. '여행지에는 최선의 기여를, 여행자에게는 최고의 경험을 제공해 주는 그런 여행이 가능해?'라는 궁금증에서 시작한 일이 공정여행기획자였다. 결코 쉽지 않았기에 도전해 보고 싶었다. 대한민국 제 1호 공정여행사에서 업무를 배우며 그 가치를 공감하고 실현해나갔다.

공정여행자가 되어 여행지를 보고, 느끼고, 경험했다. 놀랍게도, 익숙한 여행이 새롭게 다가왔다. 그 좋았던 순간을 놓치고 싶지 않아 카메라에 담고, 글로 기록했다. 여행보다 좋은 것은 여행기록이었기에 기록하다보니 어느새 노트 한 권이 되었다. 선명한 여행사진보다, 불투명한 여행스케치가 좋았다. 그래서 오로지 나만의 시선을 담아, 내가 칠하고 싶은 컬러를 입혀, 나의 여행을 그려나갔다. 그렇게 내가 보고, 쓰고, 그린 지극히 주관적인 공정여행의 이야기를 담아냈다.

공정여행은 거창한 여행이 아니다. 누구나 할 수 있고, 누군가는 자신도 모르게 해온 여행이다. 무엇보다도 나처럼 궁금해서 이 여행을 시작 하고픈 예비 공정여행자도 있을 것이다. 누군지 알 수 없는 그대에게, 책으로나마 이야기 해주고 싶다. 나의 공정여행이 당신의 여행과 크게 다르지 않을 것이라고. 그러니 이 여행을 특별하게 보지 말기를. 특별한 건 지속 가능한 여행을 만들어가는 그대라는 걸 꼭 알아주길 바란다.

이제부터 공정여행 십계명의 마지막 칸을 채우는 작업을 시작해 보려 한다. 해결하지 못한 숙제처럼 남아있던 십계명이 하나 있었거든. "열 번째, 여행을 기록하고 그 기억을 공유하기." 기록은 했지만 공유는 하지 않은 채 서랍장에 꽁꽁 싸매 숨겨놓았다. 써내려간 이야기를 펼침으로써 이 여정의 마침표를 찍으려 한다. 그러니 버겁지도 않고 가볍게, 무겁지도 않고 산뜻하게 내가 기록한 공정여행을 풀어내 봐야겠지. 여행의 출발지는 당연히 궁금해서 시작한 너란 여행, 공정여행(You=Fair Travel)이다.

마지막으로, 한 없이 부족한 나에게 따뜻하고 아름다운 격려를 보내준 이들에게도 진심어린 감사의 인사를 전하고 싶다.

chapter 1

검색의 시작

공정여행 = 책임여행 = 지속가능한 여행 = 착한여행

왜 여행에

공정이란 단어가 붙었지?

여행이면 여행이지.

왜 여행이란 단어 앞에 "공정"이란 낯선 수식어가 붙어야만 했을까? 어쩌면 공정이란 단어를 전면에 내세우는 것이 불편할 수도 있다. 공정은 당연해야 하기 때문이다. 안타깝게도, 당연한 것을 당연하지 않은 것으로 만든 집단들이 존재했다. 그들은 바로, 전 세계적인 체인 호텔과 항공사, 크루즈, 여행사 등을 소유한 다국적 기업들이다. 휴양지에 초호화 리조트와 관광시설을 건설해 '여행지'를 훼손시키고, 불필요한 관광 옵션을 강요하여 '여행자'를 불편하게 하고, 그리고 노동력에 대한 정당한 대가를 지급하지 않아 '현지인'의 삶을 어렵게 만든다. 그 과정에서 발생한 관광수익마저 대부분 현지인이 아닌, 대기업의 주머니로 흘러들어 간다. 그래서 그토록 많은 관광객이 보라카이로, 칸쿤으로, 발리로 여행을 가지만, 정작 그곳에 사는 현지인들은 가난할 수밖에 없다. 그러다 보니 그들이 만든 불공정에 대한 반작용으로 외쳐야만 했다. 뭐라고? 공정하게 여행하자고. 그렇다면 공정이란 단어가 붙은 이 여행은 어떤 여행일까.

공정이란 여행

공정여행은 무언가를 지켜주는 여행이다. 여행지의 환경을 지켜주고, 현지인의 일상을 지켜주며, 여행자가 행복하게 여행할 권리를 지켜주는 여행이다. 궁극적으로 여행자가 여행지에서 지불한 돈이 현지인의 삶에 보탬이 되어, 여행지를 지속 가능하게 만드는 여행이기도 하다. 누군가에겐 여행이 '낯선 장소로의 떠남'이지만, 다른 누군가에게는 '낯선 자의 일상 침범'이 될 수 있기에 지켜주는 것이다.

공정여행 십계명이 있다. 공정여행의 가이드라인이자 실천 지침서라고 할 수 있다.

첫 번째, 여행지에 도움이 되는 여행

:현지인이 운영하는 숙소와 식당, 여행사를 이용한다.

두 번째, 환경을 생각하는 여행

:일회용품 사용을 최소화하며 물과 전기를 낭비하지 않는다.

세 번째, 착한 소비를 하는 여행

:현지인이 운영하는 시장 또는 협동조합 마트를 이용한다.

네 번째, 인권을 존중하는 여행

:성매매 투어, 골프관광에 참가하지 않는다.

다섯 번째, 정당한 대가를 지급하는 여행

:현지인의 노동력에 대한 정당한 임금을 지급한다.

여섯 번째, 다른 문화를 존중하는 여행

:현지인의 종교와 생활방식을 이해하고 예의를 갖춘다.

일곱 번째, 동물을 보호하는 여행

:동물을 학대하거나 혹사시키는 투어나 쇼에 참여하지 않는다.

여덟 번째, 기부하는 여행

:여행 경비의 1%는 자원봉사 단체에 기부한다.

아홉 번째, 친구가 되는 여행

:현지의 인사말, 노래, 춤 등을 배우며 친구가 된다.

열 번째, 기록하는 여행

:나의 여행을 기록하고, 그 기억을 함께 공유한다.

공정여행 십계명을 1부터 10까지 읽고 처음 든 생각은, 참 착하다. 그래서 착한 여행, 책임여행, 그리고 지속 가능한 여행이라고도 부른다. 그러다 문득 과거의 과거를 되짚어 보니 나도 한때는 공정여행자였던 것이 아닌가.

마치 Volunteer인 듯?

　라떼녀처럼 들리겠지만, 나 때만 해도 대학생 3대 대외활동이 있었다. 해외 자원봉사, 국토대장정, 그리고 배낭여행. 특히, 해외 자원봉사는 대기업의 후원을 받으며 그것도 외국에서 봉사활동을 할 수 있는 절호의 기회였다. 자소서 스펙 한 줄이자 위기극복 능력 칸을 단숨에 400바이트로 채울 수 있는 훌륭한 대외활동이기도 했다. 그렇게 무더운 8월의 여름, 캄보디아로 자원봉사 활동을 떠났다. 씨엠립에서 버스로 약 3시간 떨어진 작은 마을에서 홈스테이하면서, 초등학교 건물을 유지보수하고, 아이들에게 외국어 교육을 진행하는 등 현지 문화와 생활방식을 존중하면서 2주간에 걸친 자원봉사를 마쳤다. 공정여행 십계명에 1부터 10까지 딱 들어맞는 여행, 아니 자원봉사였다. 과거 경험에 대한 뿌듯함과 함께 문득 의문이 들었다.

　"공정여행을 마치 자원봉사처럼 해야 할까?"

　그럴 수도 있고, 아닐 수도 있다. 어느 나라로 공정여행 가든, 어떤 성격의 공정여행을 하든, 그건 여행자의 선택이다. 그러니 공정여행 십계명을 거창하게 해석해, 경제적으로 어려운 지역에 가서 도움의 손길을 건네는 여행으로만 바라보지 않았으면 좋겠다. 왜냐하면, 전 세계인의 여행이 자유로워지면서, 무분별한 관광으로 발생하는 피해는 특정 지역에만 국한되지 않기 때문이다. 최근 들어, 베네치아, 바르셀로나, 프라하와 같은 도시들은 오버투어리즘으로 엄청난 고통을 호소하고 있다. 하루가 멀다 하고 방문하는 관광객들로 인해 버려진 쓰레기는 거리를 더럽게 만들고, 좁은 도로를 점령한 다양한 형태의 투어 차량 때문에 교통은 혼잡해졌으며, 관광지가 되어버린 주거지의 소음은 일상이 되어버렸다. 아무리 관광 인프라가 잘 갖춰져 있다고 한들, 관광객으로 인한 혼잡과 소음, 쓰레기 문제 해결에는 한계가 있는 것이다. 이제는 공정여행의 범위가 특정 나라에 국한되지 않고, 모두에게 필요한 여행이 된 것이다.

공정여행을 부담 없이 유연하게 바라보면, 여행의 카테고리를 좀 더 다각화시킬 수 있다. 공정여행이란 거대한 나무 아래, 수백 개의 카테고리가 뿌리처럼 뻗쳐져 있다고 상상해 보는 거다. 그러면 공정여행은 누군가에게는 서유럽 인문학 투어가 될 수도 있고, 미국 서부 횡단 여행일 수도 있고, 조지아 트래킹일 수도 있고, 발리 에코투어가 될 수도 있고, 중국 소수민족을 보호하는 봉사활동이 될 수도 있다. 그러니 공정여행이란 프레임에 갇혀 이 여행의 가치를 정의하지도, 한정 짓지 말자.

대세를 따라 미니멀하게

공정여행의 십계명은 강요하려고 만든 것이 아니다. '어떻게 여행할까?' 건강한 고민을 하는 누군가에게 알려주고자 만든 가이드라인이다. 공정여행의 범위는 생각보다 넓다. 원칙에 얽매이지 않는다면, 당신이 여행하는 국가와 지역 그리고 테마와 취향에 맞춰 충분히 공정하게 여행을 할 수 있다. 그러니 부담스러운 필수항목이 아닌 자발적 선택사항으로 시작해 보는 거다. 이때 선택한 원칙만은 꼭 지키는 거다.

어떻게? 대세를 따라서 공정여행도 미니멀하게 시작하자. 중요한 것은, 얼마나 '많이'가 아니라 얼마나 '자주' 실천할 수 있느냐는 것이다. 즉, 지속 가능성에 초점을 맞춰야 한다. 그러면 누구나 공정여행의 가치를 실현하는 이 여행에 살포시 발을 적실 수 있을 것이다. 그리고 자발적 공정 여행의 주체자로서 거듭날 수 있다. 그게 바로 여행지와 지역 공동체의 지속 가능한 환경을 만들려고 노력하는 공정여행의 시작이니까.

chapter 2

탐구의 과정

존재 가치

공정여행사는 정체가 뭐야

공정여행사는 말 그대로, 여행자의 여행을 공정하게 만들어주는 '여행사'다. 느닷없이 등장해 세상에 없던 새로운 여행을 소개하는 여행사는 아니다. 왜냐하면, 공정여행사가 만든 상품에는, 기존 여행업이 갖춰놓은 틀이 어느 정도 반영되어 있기 때문이다. 예를 들어, 패키지 여행사의 일정기획 및 여행객 모집, OTA(Online Travel Agency; 온라인여행사)의 투어 예약 및 엑티비티 체험 등의 특징이 포함된 것이다. 그렇다 보니 여행상품의 전반적인 구성만 놓고 비교한다면, 기존 여행사와 공정여행사가 크게 다를 건 없다고 생각할 수 있다. 여행사가 만드는 여행, 그 자체가 다를 수는 없으니까.

그렇다면 여타여행사와 다른 공정여행사만이 가지고 있는 차별점은 무엇일까. 그건 여행을 남다른 관점으로 접근하는 '과정'에 있다. 거창한 것은 아니지만, 마냥 쉽지만도 않다. "과연 이 여행이 공정한가?"에 대한 끊임없는 확인과정을 거쳐야만 하기 때문이다. 그래서 호텔, 레스토랑, 가이드, 현지체험 등 여행 구성요소들을 일일이 검색해서 공정여행에 어긋나지 않는지 확인해야 한다. 그뿐만 아니라 공정여행의 취지에 맞는 현지 네트워크인 투어업체와 가이드를 찾고, 여행지의 문화와 역사를 반영해 일정을 만들고, 다양한 채널을 통해 현지 프로그램을 발굴하는 등 작은 항목까지 신경 써야 한다.

그러다 보니 기존과는 다른, 새로운 관점에서 여행을 공정하게 만드는 과정은 많은 시간을 필요로 한다. 그러나 그 시간은 필수적이기도 하다. 왜냐하면, 공정여행을 경험하고자 하는 여행자를 위해 여행을 공정하게 만들어 주는 것, 이것이야말로 공정여행사의 존재 이유이자 정체성이기 때문이다.

안녕하세요,

공정여행기획자입니다.

공정여행기획자보다는,

공정여행을 다루는 멀티 페르소나라고 소개하고 싶다. 공정여행기획자라는 하나의 타이틀 속에는 다중의 인격체들이 숨어있기 때문이다. 그 다중이들은 공정여행 콘렌츠를 찾아내는 '개발자'이자, 여행을 공정하게 만드는 '기획자'이자, 여행 상담과 모객영업을 하는 '오피 Operator'이자, 여행지에서 여행자들을 안전하게 이끄는 '투어 리더'이자, 마지막으로 결과보고서를 제출하며 여행의 마침표를 찍는 '책임자'이기도 하다. 그래서 여행의 시작부터 끝까지 여러 업무를 다루는 하나의 멀티 페르소나라고 할 수 있다. 물론 다중의 인격체 중에서도 가장 중요하고 핵심적인 역할은 있다. 그건 바로, 과정의 공정함을 만들어내는 기획자이다. 그렇기에 타이틀은 공정여행기획자가 되었겠지.

멀티페르소나의 시작은,

시칠리아였다. 어쩌면 당연한 결과였을 수도 있다. 공정여행기획자가 된 그해까지 이탈리아에서 근무하고 왔으니, 자연스레 담당 지역도 유럽이었다. 그렇게 첫 기획여행은 시칠리아로 주어졌다. 시칠리아야말로 진짜 이탈리아다운 섬이면서, 혼자서는 힘들지만 함께 여행하면 더욱 가치 있는 여행지기도 했다. 그래서 처음에는 설렜다. 그곳이 시칠리아여서 더 기대되기도 했다. 시작의 설렘은 잠시뿐, 어느 순간 '할 수 있을까?' 막막한 마음이 앞섰다. 준비하면 할수록 어려움에 봉착했다. 현지 네트워크가 갖춰져 있는 이탈리아 본토와는 달랐다. 시칠리아는 처음부터 모든 것을 새롭게 개발해야만 했다. 막연하기만 했던 여행은 어느 순간 점점 모습을 갖춰갔다. 형체조차 없던 콘텐츠가 진짜 여행이 되는 과정은 길었다. 정말이지 길고 길었다.

　기획여행의 첫 단계는,

　여행지에 적합한 콘텐츠를 찾아 개발하는 것이다. 선정된 콘텐츠는 여행상품으로서의 가치를 가질 수 있게끔 테마를 입혀야 한다. 물론 주제는 흥미롭거나 매력적이어야 한다. 여행은 재밌어야지 여행자들을 솔깃하게 만드니까. 가능하다면, 요즘 여행자들이 관심 가지는 주제와 여행지의 성격이 맞아떨어지면 좋다. 예를 들어, 인문학, 미식, 친환경, 와이너리, 트래킹 등이 있겠지.

여행지의 테마가 정해지면, 이제부터는 검색엔진과의 싸움이 시작된다. 이때부터는 인내의 과정이라 보면 된다. 시간을 투자한 만큼, 더 많은 자료를 얻는 것은 자명한 사실이니까. 공정여행은 필요한 때에 필요한 수요만큼 예약한다. 여행을 독과점하지 않기 때문이다. 그래서 최대한 많은 정보를 모으는 것이, 가장 중요한 작업이기도 하다. 예약이 안 될 경우를 대비해, 이를 대체할 플랜 D까지 있어야 하니까 말이다.

영혼까지 끌어 모아 호텔, 레스토랑, 가이드 투어, 액티비티 등 현지 네트워크를 찾는다. 충분한 자료를 확보하면, 여행지로 사전답사를 떠난다. 그곳에서 사전 조사한 자료들이 공정여행에 적합한지 확인하는 과정을 거친다. 그뿐만 아니라 새로운 현지 커뮤니티를 탐색하는 작업도 진행한다. 그렇게 사전 조사와 답사로 수집한 자료들을 토대로, 새로운 공정여행 프로그램을 기획한다. 신규사업기획안을 제출하고 내부

회의를 통해 피드백을 받는다. 마지막으로 보완할 사항들을 수정한다. 최종적으로 사업기획안이 통과되면, 그때부터 마케팅 작업이 진행된다. 여행지의 사진과 스토리가 입혀진 디자인 작업이 끝나면, 비로소 그때야 실물로 완성된 여행을 만나게 된다.

　여행 프로그램을 오픈만 해서는 안 되지. 이제 여행자들에게 소개해줄 차례다. 각종 온라인 매체를 이용해 여행을 홍보하는 마케팅 작업을 진행한다. 그때부터 슬금슬금 반응이 오기 시작한다. 관심 있는 여행자로부터 홈페이지, 전화, 온라인 메신저 등으로 여행문의가 들어온다. 여행지의 테마와 투어 일정에 대한 세세한 문의가 주를 이룬다. 그러다 가끔 변명 아닌 변명을 늘어놓기도 하다. 상당히 대답하기 곤란한 질문을 받을 때가 종종 있거든. "공정여행이 왜 이렇게 비싸요?" 뭐, 이런 질문?

비싼 게 아니라 비싸 보이는 것

"공정여행이 뭐예요?" 다음으로 가장 많이 물어보는 질문은, "왜 이렇게 비싸요?" 사실 두 물음에 대한 답은 똑같다. 왜 비싼지 설명하려면, 공정여행이 어떤 여행인지 알려줘야 하니까. 그래서 속절없이 구구절절 공정여행에 관해 설명하곤 했다.

"공정여행은 일반적인 패키지여행과는 달라요. 단체가 아닌, 16명 소그룹 여행을 추구해요. 도시 간 이동은 관광버스 대신 초고속 열차를 이용해요. 그래서 도로 위에서 시간을 버리지 않습니다. 물론, 도시 내에서는 대중교통 또는 도보로 이동합니다. 숙소는 시내 중심에 위치한 호텔을 이용해요. 그래서 오전 투어가 끝나고, 오후 자유 시간을 보내다가 호텔로 복귀하기 편하답니다. 일정 내에 포함된 투어는 도시별 전문 가이드가 진행합니다. 그래서 겉핥기식 설명이 아닌, 전문적이고 깊이 있는 해설을 들으실 수 있습니다. 또한, 현지인이 운영하는 로컬 맛집을 섭외해서 도시별 지역 특산물을 맛보실 수 있어요. 그리고 여행하는 국가의 테마에 맞는 현지 프로그램을 체험할 거예요. 예를 들어, 시칠리아에서는 에트나 화산 탐방,

와이너리 체험 등이 있어요."

　패키지의 초저가 여행에 익숙하다 보니, 상대적으로 공정여행사의 여행은 비싸게 느껴진다. 그런데 항공권보다 저렴한 가격으로 여행을 보내주는 그런 착한 여행사는 없다. 그러니 여행사의 여행이 너무 저렴하면, 먼저 의심을 해야 한다. 저렴한 상품가의 그늘에는 누군가의 희생이 따라오기 마련이니까. 그 희생의 영역에 여행자가 포함되어 있지 않을 거라는 착각은 금물이다. 어떤 형태로든 여행자가 지급해야만 하는 불편한 비용들이 발생할 수밖에 없다. 그건 대체로 옵션 추가와 쇼핑 강요가 될 확률이 높다. 보이는 가격은 저렴하지만, 결국 지급하게 되는 금액은 같아지는 것이다.

　공정여행에는 옵션과 쇼핑 강요도, 의무적인 팁도, 관광지 도장 찍기식의 투어도 없다. 기존 저가 패키지가 만들어놓은 왜곡된 여행구조에서 벗어났다. 그래서 여행자들을 불편하게 만든 상품가 외 추가금액은 없으며, 관광지를 여유롭고 깊이 있게 볼 수 있는 가이드투어도 포함되어 있다. 어떻게 보면 유럽공정여행은 단순히 그 지역을 돕는다는 취지보다는, 현지 문화와 역사를 깊이 있게 바라보는 '그랜드투어' 적 성격이 강하다. 17~19세기 영국 귀족 자제들이 고전문학과 역사를 익히기 위해 떠났던 이탈리아 여행처럼 말이다. 그러니 공정여행사의 여행은 비싼 게 아니라, 비싸 보이는 거다.

검색과 검색, 그리고 또 검색

비싸 보임에도 불구하고, 공정여행을 경험하고자 하는 여행자들이 하나둘씩 모여 여행출발이 확정된다. 그럼 가장 먼저, 항공권 예약부터 진행한다. 패키지 여행사처럼 사전에 그룹 좌석을 확보해 놓지 않기 때문에, 항공권은 개별발권으로 진행한다. 그렇다 보니 다소 높은 가격대의 항공권을 구매할 수밖에 없기도 하다. 항공일정이 정해지면, 본격적으로 현지 예약을 시작해야겠지. 공정여행 원칙에 따라 현지인이 운영하는 호텔부터 예약한다. 사전에 조사해 놓은 호텔로 예약되면 좋겠지만, 그렇지 못하면 다른 호텔들을 찾아봐야 한다. 이 부분이 가장 골치 아프고 많은 시간을 잡아먹기도 한다. 현지인이 운영하는 호텔인지 아닌지를 확인해야 하기 때문이다. 그래서 공식홈페이지를 통해 찾아보거나 대표 메일을 보내 일일이 문의해야 한다.

 다음으로, 도시별 투어 가이드와 일정을 조정한다. 공정여행사는 현지 랜드사가 아닌, 현지 네트워크와 함께 일한다. 그래서 현지에 합법적으로 거주하며 국가공인 자격증을 소지한 가이드와의 네트워크가 중요하다. 그래야지 도시의 역사와 문화를, 그리고 박물관의 회화와 조각을 전문적으로 설명할 수 있기 때문이다. 수박 걸핥기식의 설명은 사절이다. 그렇다면 가이드의 깊이 있는 해설을 들을 수 있게끔, 입장권을 재빠르게 구매해야겠지. 요즘에는 다수의 유럽 박물관이 사전예약제로 티켓을 판매하고 있다. 심지어 시간대별로 입장 가능한 인원도 제한해 놓는다. 그러니 티켓도 금방 마감된다. 이 타이밍을 놓쳐 티켓을 구하지 못하면 낭패다. 특정 미술관에 가고 싶어 이 여행을 신청하는 여행자도 있기 때문이다. 여행자의 여행에 실망스러움을 주고 싶지 않다면, 누구보다 재빠르게 티켓을 구매해야만 한다. 관광지 입장 시간이 정해지면, 도시간 이동 교통수단인 기차를 예매한다. 한 도시에서의 일정이 끝나는 시간에 맞춰 다음 도시로 이동하는 기차를 예매해야 하니까 말이다. 만약 기차가 없는 소도시의 경우, 현지 차량업체에 요청해 버스를 전세하기도 한다. 대게 현지체험 프로그램을 진행하는 곳이 외진 농가 또는 소도시인 경우가 많기 때문이다. 마지막으로 현지 로컬 레스토랑을 섭외한다. 그러면 예약의 대부분이 마무리되었다고 볼 수 있지.

이제부터는 상세한 여행일정표를 만드는 작업을 진행한다. 일정표에는 여행자들이 궁금해 할 항공일정, 호텔명, 기차 또는 버스 탑승시간, 관광지 입장시간, 현지 프로그램 정보, 투어종료 예상시간 등이 기재된다. 여행일정표와 함께 여행준비자료, 도시별 관광지 정보, 레스토랑 리스트, 대중교통 정보 등이 기재된 자료집을 정리한다. 투어 종료 후 자유 시간을 알차게 보낼 수 있게끔 다양한 정보를 제공해줘야 하기 때문이다. 그렇게 정리된 자료집을 여행자들에게 메일로 보내준다. 마지막으로, 인천공항 미팅 시간 및 장소를 공지하고 여행자의 컨디션까지 체크해주면 끝난다.

손님이 아닌, 여행자

드디어 D-day, 떠나는 날이 왔다. 공항에서 여행자들을 맞이한다. 미팅 시간에 맞춰 속속들이 도착한다. 여권 속 얼굴이 보이면 수줍게 다가가 어색하게 인사를 건넨다. 첫 만남에서는 누구든 어색해한다. 서로를 알지 못하는 여행자들이 어색한 눈인사를 나누다 나를 쳐다본다. 그때가 바로 오리엔테이션을 진행할 타이밍이다. 여행자들에게 공정여행에 대한 소개를 시작으로 여행일정과 여행지 주의사항에 대해 간략하게 브리핑한다. 서로의 얼굴에 익숙해질 즈음, 탑승 안내 방송이 나온다. 한국을 벗어나 낯선 나라로 여행 떠나는 시간이 온 것이다.

투어 리더로서 가장 중요한 역할은 뭐니 뭐니 해도 여행자들의 안전이다. 그다음은? 제대로 여행할 수 있도록 도와주는 것이다. 그건 도시별 관광정보를 최대한 많이 안내해주는 것일 수도 있고, 현지인과의 소통이 어려울 때 통역해줄 수도 있으며, 현지 상황에 맞게 일정을 조율하는 일이 될 수도 있다. 하지만 무엇보다도 중요한 것은 여행지의 스토리텔링이 아닐까 싶다. 우리와 다른 문화권에 사는 이들이 살아가는 방식에 대한 이해가 뒷받침되도록 도와줘야 한다. 어쩌면 종교개혁과 프랑스혁명의 역사적 설명보다, 여행자의 기억 속에 더 오래 남는 건 현지인들의 생활방식일 수도 있다. 그래서 여행자들과 함께 거리를 걸으며, 건물마다 1층 문이 왜 저렇게 높은지, 맨홀 뚜껑에 새겨진 라틴어는 무슨 의미인지, 이탈리아에는 정말 아이스커피가 없는지에 대한 이야기를 풀어나간다. 느리지만 천천히 여행지를 좀 더 깊이 들여다보면, 그들의 문화가 이해가 된다. 그 삶을 존중할 수 있다. 어느 순간 여행 소비자가 아닌, 여행을 이해하는 여행자가 된다. 그렇기에 손님이라 칭하지 않고, 여행자라 부르는 이유기도 하다.

마침표 찍기

홀가분했다. 콘텐츠 개발을 시작으로, 기획하고, 모객하고, 인솔하고, 설명하고, 마지막 정리까지 끝냈다. 해방감과 동시에 아쉬운 마음이 교차했다. 예전엔 몰랐다. 시원섭섭하다는 것이 어떤 느낌인지. 마음은 놓이지만, 아쉽기도 한 복합적인 감정이 아닐까. 내가 기획한 나의 여행을 찾아와준 여행자들을 만나고, 그들과 함께 여행을 만들어 나가고, 따뜻한 격려까지 받을 기회가 얼마나 있을까? 다음에 또 만나자는 여행자의 마지막 인사는, 그동안의 내 고생이 헛된 것이 아니었다는 위로 같았다. 믿기도 했지만 애틋하기도 했다. 여행은 로그아웃하고, 현실로 로그인해야지. 아직 마지막 작업이 남아 있으니까. 다녀온 여행을 리뷰 한다. 그 과정에서 보완해야 할 점을 찾아내고, 더 나은 방향으로 수정하고, 여행자들의 피드백을 참고해서 부족한 부분을 채워나간다. 책임자로서 객관적으로 이번 여행을 평가한다. 그리고 마지막 결과보고서를 제출하며, 비로소 여행의 마침표를 찍는다.

chapter 3

기록의 여정

찰칵, 드로잉, 그리고 타이핑

공정여행을 기획하면서, 인정하고 싶지 않았지만 인정할 수밖에 없었던 사실이 있었다.

패키지처럼 여행하고 싶진 않지만,
그들처럼 성공하기도 쉽지 않다.

힘 빠지는 소리지만, 대형 여행사가 이룩해온 과거의 영광을 따라잡을 수 없다. 그럼에도 그들처럼 되고 싶지 않다. 욕하면서 닮아가고 싶지도 따라 하고 싶지도 않았다.

잠시만 불편해지자,

그래야지 지속 가능한 여행을 만들 수 있으니까.

　순간의 편함을 좇지 않기로 했으니, 과정의 불편을 받아들였다. 그리고 정직하게 여행을 만들어 가는 사람들과 함께 지속 가능한 여행을 해보기로 했다. 공정여행이 단순 관광이 아닌 경험의 여정이 되기를 바라면서, 여행자들과 함께 여행을 떠났다. 공정여행자의 시선으로 여행을 담았다. 그랬더니 현지인의 삶, 문화, 정신, 환경 등 이전 여행에서 보이지 않던 많은 것들이 보였다.

　그곳엔 아등바등했던 과거 시점의 나도 있었다. 그때의 나는 무엇을 위한 여행을 했던 걸까. 멋진 사진을 뽐내는 허세 가득한 여행이었을 것이다. 거기에 사로잡혀 그것만 보였으니까. 어디에서 뭘 안 하고 뭘 안 먹으면, 안 될 것만 같았다. 누구나 하는 여행 말고, 남들은 모르는 여행을 해야 한다는 강

박관념에 사로잡혔다. 어느 순간 여행이 싫어졌다. 여행의 피로감이 쌓였다. 내가 사진작가도 아니고 그냥 여행자인데, 굳이 이렇게까지 해야 해? 그건 내 영역이 아니야. 피로한 여행, 이젠 싫었다.

여행엔 정답이 없다. 나의 여행이 무조건 맞는 것도, 나와는 결이 다른 누군가의 여행이 틀린 것도 아니다. 그러니 누구나 가는 여행지 가도 되고, 남들이 안가는 여행지 가야지만 특별한 것도 아니다. 그곳이 어디든, 내가 하고 싶은 것을 즐기고 기분 좋게 힐링하고 오면 그만이다. 그게 여행이지. 우리가 여행에서 무엇을 얻어서 돌아올지는 아무도 예견할 수 없으니까. 프랑스 소설가 마르셀 프루스트는 이렇게 말했지.

"진정한 여행은 새로운 풍경을 보러 가는 것이 아니라,
세상을 바라보는 또 하나의 눈을 얻는 것이다."

자신의 인사이트를 얻는 여행. 나에게 공정여행이 그랬다.

걸돌지 않았던 여행, 생각할 수 있는 시간을 준 여행, 그래서 조심스럽게 스며들 수 있는 여행이어서 좋았다. 여행보다 좋은 것은 여행 기록이었기에, 그 좋았던 찰나의 순간을 잊고 싶지 않아 기록했다. 이방인을 위해 기도해준 사막 민족의 따뜻함을, 자전거 바퀴가 만들어내는 깨끗한 공기의 소중함을, 빛바랜 잉크 자국이 역사가 되는 서점의 오래된 이야기를 담았다.

무엇보다도 이 여행을 특별하고, 가치 있는 여행이라고 미화시키고 싶지 않다. 그저 내가 기록해온 작은 메모들을 읽으며, '공정여행은 거창한 여행이 아니라, 누구나 보고 느끼고 즐길 수 있는 여행'이라는 것을 알아가는 과정이길 바라본다.

결국엔,

시칠리아였지

단돈 1유로에 집 사세요

이번 생에 내 집 마련의 꿈은 물 건너갔다고 생각했는데, 어쩌면 가능할 수도 있을 거 같다. 그곳이 시칠리아의 고즈넉한 언덕마을 삼부카라면, 그것도 단돈 1유로만 있다면 말이다. 오래된 시골 마을이 으레 그렇듯이 청장년층이 빠져나가며 곤욕을 치르게 된다. 사람의 온기가 사라진 집은 점점 낡고 녹슬어져 공허한 폐가로 남게 된다. 가뜩이나 인구도 없는 마을이 을씨년스럽기까지 한 것이다. 결국, 수십 채의 빈 주택을 단돈 1유로에 내놓으며 새로운 인구 유입을 결정한 것이다. 물론 1유로에 집을 살 수 있지만, 그 1유로에는 전제조건이 따른다. 구매한 시점으로부터 3년 안에 건물을 리모델링해야 하고, 그 집에서 일정 기간 살아야 한다는 조건도 포함되어 있다. 1유로에 구매만 하고 사용하지 않으면 말짱 도루묵이니까. 새로운 인구 유입과 더불어 마을의 유지보수까지 한 번에 해결한 셈이다. 이 획기적인 마을 재건축 사업은 유럽에서의 삶을 꿈꾸는 이들을 솔깃하게 만들었다.

66

잊을 수 없는 레몬향과 해안가의 절벽마을,
그리고 지중해의 세찬 바람까지
더할 나위 없이 좋았던 포지타노를 기억하기에
자연스레 발걸음이 이곳으로 향했다
시칠리아보다 먼저 포지타노로

Positano, Italia

그래서 시칠리아가 어디야?

유럽의 한 마을에서 집을 1유로에 판매한다는 뉴스가 보도되면서, 다들 눈이 휘둥그레졌다. 유럽에서의 삶, 이 얼마나 낭만적인가. 그런데 유럽 어디, 시칠리아? 시칠리아는 어디에 있는 도시지? 시칠리아는 도시 이름이 아니다. 이탈리아 서남단에 있는 섬 이름이다. 이탈리아 지도를 장화에 비유하면, 장화 끝에 놓인 축구공 모양과도 같다.

섬이라고 해서 무시해서는 안 된다. 지중해에서 가장 큰 섬이자, 면적만 해도 제주도의 14배나 되니까. 그리고 시칠리아야말로 진짜 남부 이탈리아를 제대로 만끽할 수 있는 섬이기도 하다. 이탈리아 남부 지역이라 하면, 대부분 나폴리를 기점으로 아말피 해안에 있는 포지타노와 소렌토를 떠올린다. 아마도 로마에서 기차 타고 다녀올 수 있는 가까운 남쪽이 나폴리기 때문이기도 하다. 아, 물론 시칠리아도 기차 타고 갈 수 있다. 로마에서 출발하는 야간기차 타고 나폴리를 지나 본토 끝까지 간다. 이제 육지에서 섬으로 가려면 바다를 통과해야겠지? 프랑스와 영국을 잇는 해저터널을 떠올릴 수도 있지만,

그건 이탈리아답지 못하다. 이탈리아다운 방식은 기차를 통째로 배에 태워 메시나 해협을 건너가는 것이다. 그래서 로마에서 시칠리아까지 비행기로 1시간이면 도착하지만, 야간기차에 배까지 타면 12시간이 소요된다. 이 진귀한 경험을 하고 싶은 사람이 아니라면, 국내선 타고 시칠리아 섬으로 들어가면 된다. 물론, 목적지는 정해야겠지?

시칠리아의 서쪽과 동쪽

시칠리아를 도착지로 검색했을 때, 이름 모를 공항이 꽤 많이 뜬다. 그중에서도 메인공항은 서쪽의 팔레르모(PMO)와 동쪽의 카타니아(CTA)다. 그렇다면 여행은 어디서부터 시작하는 게 좋을까? 여행의 강약조절은 중요하다. 첫 도시가 너무 매력적이면 살짝 곤란하다. 다음 도시에 대한 기대치가 높아지기 때문이다. 그러다 기대에 못 미치면 실망하게 된다. 그런데 그곳이 시칠리아라면? 어디서 시작하든 상관없다. 이 섬은 예외다. 여행의 강약조절이 완벽한 하모니처럼 이루어진다. 시칠리아에서는 어느 도시든, 어느 산이든, 어느 바다든지 좋지 않은 곳이 없다. 그건 시칠리아 동부와 서부의 오색찬란한 도시들만 봐도 알 수 있다.

시칠리아 동부의 시작은 도시의 크기만큼이나 시끌벅적한 카타니아 Catania다. 카타니아의 대표 음식인 아란치니를 맛보고, 구름 속에 파묻힌 검은 땅 에트나 Etna 화산에 오르며, 이오니아 해의 진주라 불리는 타오르미나 Taormina에서 휴양을 즐기고, 그리스인이 설계한 고대도시 시라쿠사 Siracusa를 탐험하고, 바로크의 숨은 보석이라 불리는 모디카 Modica를 여유롭게 거닐 수 있다. 그렇다면 서부는? 주도이자 스트리트 푸드의 성지인 팔레르모 Palermo를 거점으로, 그리스 신들이 노닐던 땅 아그리젠토 Agrigento에서 사색에 잠겨보고, 천공의 성이라 일컫는 에리체 Erice에서 유유자적해보며, 세상에서 가장 아름다운 성당이 있는 몬레알레 Monreale에 감탄하며, 시네마 천국의 도시 체팔루 Cefalu에서 낭만을 즐길 수 있다. 이토록 다채로운 도시를 품은 시칠리아니, 여행의 시작과 끝은 무의미할 수밖에 없지.

지중해 문명의 혼재

시칠리아의 눈부시게 푸른 하늘과 바다를 품은 도시들을 보고 있노라면, 마치 색채의 향연을 보는 것만 같다. 그런데 한편으론 종잡을 수 없는 섬이기도 하다. 여행하면 할수록 아리송해진다. 유럽인 것 같은데 어떨 때는 아랍처럼 느껴지고 또 아프리카 같기도 한 것이다. 알 듯 말 듯하다가 모르겠다면, 시칠리아를 제대로 본 거다. 무려 3천 년 동안 지중해의 여러 문명이 왔다가 떠난 섬이기 때문이다. 그래서 도시 곳곳에 새겨진 침략자의 흔적이 마치 역사의 모자이크처럼 남아 있게 된 것이다.

침략과 혼란의 역사를 겪은 시칠리아는 한 많은 섬이기도 하다. 유럽과 아프리카가 만나는 지중해의 심장에 자리 잡고 있는 이 섬을 그냥 지나쳐 가는 이들은 없었으니까. 그리스, 카르타고, 로마, 아랍, 노르만, 프랑스 등 지중해 패권을 둘러싼 강대국의 침략을 끊임없이 받아왔다. 그러다 보니 시칠리아 사람들도 외세의 침략에 망연자실하며 마냥 당하고만 있을 수 없었다. 자신과 가족들을 보호하기 위해 독립적인 저항

단체를 만든다. 그 단체가 무시무시한 조직의 시초라고 보는 이들도 있다. 어쩌면 그들의 본고장이 시칠리아기 때문일 수도 있다. 그러니 시칠리아에서 그 이름을 함부로 내뱉어선 안된다. 순수 이탈리아어라서 지나가던 아무개도 알아들을 수 있다. 마치 해리포터의 볼드모트처럼 불러서는 안 되는 그 이름, 마피아다.

마피아는 동네 양아치가 아냐

시칠리아를 이야기할 때, 사람들은 무슨 공식처럼 마피아를 떠올린다. "마피아의 고향 아니야? 위험하지 않아?"라며 섣불리 판단해 버린다. 만약 그런 오해를 한 사람이 있다면, 말해주고 싶다. 외국인 여행자가 마피아를 직접 만날 확률은 희박하다고 말이다. 마피아는 범죄조직이지, 동네 양아치가 아니다. 더 무서우려나? 가진 거라곤 여행경비뿐인 여행자의 푼돈을 노릴 정도로 동네 양아치는 아니라는 말이다. 오히려 자신들의 품격을 떨어뜨린다고 기분 나빠할 수도 있다.

시칠리아는 마피아의 도시라는 공식을 만드는데 일조한 영화가 있다. 바로, 1970년대에 개봉한 영화 '대부'다. 영화는 50년 전에 개봉했다. 그때 그 시절 시칠리아는 길거리에서 총격전이 일어났을 정도로 위험했을 수 있다. 하지만 지금은? 다 옛날 일이다. 시칠리아가 아직도 위험한 여행지였다면, 애초에 지중해 휴양지로 자리매김할 수도 없었을 것이다. 심지어 시칠리아 사람들은 이렇게 말하기도 한다. 마피아가 관광 산업을 지켜주고 있어서, 관광객들에게는 안전한 여행지라고. 사실인지 아닌지 확인할 방도가 없으니 그러려니 해야겠지.

마피아를 피해도 이건 못 피해

시칠리아 여행의 필수조건은 자동차라고 한다. 기차와 시외버스 같은 대중교통이 있긴 하지만, 소도시까지 여행하는 데 한계가 있기 때문이다. 그런데 자동차 여행도 마냥 편한 것만은 아니다. 그곳이 이탈리아 중부나 북부라면 상관없지만, 남부라면 상황이 다르다. 북부 베네치아에서는 자동차 시동 소리도 듣기 힘들지만, 남부 시칠리아에서는 요란한 자동차 경적 소리와 골목을 누비는 오토바이의 현란한 바퀴 소리를 실

컷 들을 수 있기 때문이다.

시칠리아 운전자들은 거칠고, 거침없다. 그럴 수밖에 없는 것이 길은 대부분 일방통행인 데다가, 수많은 회전교차로를 돌아나가야 하며, 도로사정도 딱히 좋지 못하기 때문이다. 그래서 신호를 무시하기 일쑤고, 깜빡임 없이 끼어들기는 예삿일이다. 한국인보다 더 성격 급한 민족을 여기서 만난 것만 같다. 한국의 난폭운전은 애교처럼 보일 정도니까. 그러니 시칠리아에서 마피아는 피해도 도로 위의 무법자들은 피할 수 없다는 말까지 나오겠지.

시칠리아의 맛과 멋

시칠리아야말로 날 것 그대로의 모습을 지닌, 아니 그 자체라 해도 과언이 아니다. 그건 음식만 봐도 알 수 있다. 재료 본연의 맛에 충실하다. 단순함의 미학이랄까. 그래서 지중해의 소금 맛에 한 번 중독되면 헤어 나오기 힘들다. 플레이팅은 투박하나, 그렇다고 멋이 없지도 않다. 영롱한 색채를 품은 세라믹 그릇이 그 역할을 톡톡히 해주니까. 그러다 보니, 시칠리아의 맛과 멋이 버무려진 전통음식에 대한 자부심도 대단하다.

시칠리아의 소울푸드가 있다. 토마토와 가지로 만든 파스타 알라 노르마 Pasta alla Norma다. 카타니아 출신의 작곡가 벨리니의 오페라 〈노르마〉에서 이름을 따왔다고 한다. 시칠리아의 흔한 식재료인 토마토와 가지를 버무리고, 그 위에 하얀 치즈를 뿌린다. 마치 눈 덮인 에트나 화산을 연상시킨다. 토마토는 분출하는 용암을, 회색빛 가지는 화산재를, 파스타 위에 뿌려진 치즈는 하얀 눈 같기도 하다. 영혼을 담아 만든 파스타와 더불어 시칠리아의 핑거푸드도 있다. 기름에 튀겨져 더욱 맛있는 주먹밥 아란치니 Arancini다. 아침 식사로 하나 먹어두면 쌀이라 그런지 하루가 든든하다. 시칠리아의 작렬하는 햇빛을 받아 붉게 물든 오렌지를 닮았다. 그래서 이름도 작은 오렌지 Arancia에서 가져왔다고 한다.

시칠리아는 먹는 즐거움에 장소를 따지지 않는다. 굳이 식당이어야 할 필요는 없는 것이다. 이곳은 스트리트 푸드의 성지니까. 그 트렌드를 주도하는 곳은 다름 아닌 시장이다. 낮에는 각종 채소와 해산물을 판매하는 장터였다가, 밤이 되면 스트리트 푸드를 파는 노점이 된다. 야시장은 아침의 새초롬한 풍경을 잊게 만든다. 날 것 그대로의 공간에 사람들이 모인다. 모습도 제각각이다. 강아지와 산책 나온 할아버지의 모습, 맥주 마시는 연인의 모습, 여름밤의 야식을 즐기는 가족의 모습이 희미하게 보인다. 하얀 연기가 자욱하다. 곱창, 해산물 등을 굽는 화로 때문이겠지. 이곳에는 재료 본연의 맛을 살린 음식과 로컬의 멋을 지키는 사람들이 있다. 그러니 시장은 낮에도 밤에도 많은 이들이 모이는 공간이 된다. 자릿세도 받지 않으니 이만한 식당이 어디 있을까.

Hello 보다는 Ciao

시칠리아 사람들은 말이 많다. 귀여운 수다쟁이다. 그들의 수다를 멈추게 하는 방법이 있다. 전 세계 공용어를 쓰면 된다. 이곳에는 영어가 먹히지 않거든. 유럽의 어떤 나라처럼 영어를 알아들으면서 일부러 모국어로 대답하는 싹수없음은 아니다. 만약 그런 식으로 외지인을 차별하는 거라면, 시칠리아 사람들은 거침없이 대놓고 했을 것이다. 머리 굴려 배배꼬는 화법은 시칠리아답지 않으니까. 영어로 물어봤는데 이탈리아어로 대답하는 이유는, 간단하다. 진짜로 영어를 몰라서 대답을 못 해주는 거다. 시칠리아에서 여행하다 보면, 영어가 거의 통하지 않는 상황에 부딪히게 된다. 그때마다 번역기를 사용할 수 없다. 언어를 뛰어넘는 보디랭귀지를 구사하면 된다. 손짓 발짓으로 소통하면 먹힌다. 그래도 인사만큼은 헬로 말고, 차오라고 해주면 더 좋겠지.

영어는 통하지 않을지언정, 인심만큼은 넉넉하고 푸짐하다. 우리가 서울 사람은 깍쟁이라고 이야기하듯이, 시칠리아 사람들도 "위쪽 애들은 정이 없어"라며 특유의 사투리로 투덜댄다. 딱히 그렇지만도 않다. 이탈리아 사람 대부분이 정 많고 쾌활하다. 그런데 그 정 많음의 기준이 북부에서 남부로 내려가면 갈수록 더 관대해지는 것일 뿐. 특히 남부 끝에 있는 시칠리아는 말할 것도 없다. 그러니 무뚝뚝한 겉모습만 보고 시칠리아 사람을 판단해서는 안 된다.

66

어디든 높은 곳이 좋았다
사람도, 건물도, 도시도 전부 미니어처처럼 보이거든
그런데 자연만큼은 또렷해진다
바다는 더 넓고 산은 더 크게 와 닿는다
마치 그리스로마 신화의 한 장면처럼 담겨온다

Castel Mola, Sicilia

일타삼피

한 번에 멋진 전망을, 그것도 무려 세 군데나 볼 수 있는 작은 마을이 있다. 그곳의 이름은 카스텔 몰라 Castel Mola. 산꼭대기에 있는 성채 마을이다. 시끌벅적한 아랫동네 타오르미나보다, 카스텔몰라는 한적한 시골 느낌이 들었다. 좁은 골목길 모퉁이에 모여 이야기 나누는 사람들도 대게 마을주민이었다. 좁은 골목길을 걷다 보니 작은 광장이 나왔다. 멀리서도 광장과 맞닿은 하늘이 보였다. 왠지 저 하늘 아래로 환상적인 풍경이 펼쳐져 있을 것만 같았다. 기대감이 한껏 부풀어 올랐다. 역시나 끝없이 펼쳐진 푸른 바다와 파스텔 물감을 뿌려놓은 것만 같은 타오르미나와 그 뒤로 고고하게 솟아오른 에트나 화산까지 한눈에 펼쳐졌다. 바다와 산, 마을의 조화가 눈부시게 아름다웠다. 이곳이 우리 집 테라스였으면 얼마나 좋을까.

목적지를 정하지 않고, 정처 없이 마을을 돌아다녔다. 상점마다 전시되어 있는 기묘한 장식품이 눈에 띄었다. 가까이서 보니, 이것도 일타삼피가 아닌가. 얼굴 하나에 다리가 세 개나 달렸다. 바로 시칠리아의 상징인 트리나크리아 Trinacria다. 트리나크리아의 세 개의 다리는 삼각형 모양의 시칠리아를 상징한다. 얼굴의 주인공은 그리스신화로 잘 알려진 메두사다. 아마 바다 신의 딸이자, 파도를 다스리는 존재이자, 풍요로움의 상징으로 여긴 것 같다. 바다에서 삶을 살아가야 했던 이들에게 메두사의 얼굴은 자연스러운 선택이었을 것이다. 그러니 지금도 거리를 걷다 보면, 트리나크리아 무늬가 새겨진 깃발과 건물 부조 그리고 각종 기념품을 만나볼 수 있다. 그런데 자세히 관찰해보면, 메두사를 둘러싼 세 개의 다리가 도시마다 제각각 다른 방향으로 그려져 있다. 시칠리아는 상징마저도 로컬적인 것이다.

결국엔 시칠리아지

안 그래도 높은 산꼭대기 마을에서, 가장 높은 곳에 있다는 한 카페로 향했다. 의도치 않았겠지만, 마치 루프탑 카페 같았다. 그곳에서 일타삼피의 풍경을 배경 삼아, 카놀리를 한 입 베어 물고 에스프레소를 마셨다. 달콤 쌉싸름한 맛의 조화가 일품이었다. "이 맛에 여행하나 봐요." 옆자리에 앉은 한 여행자가 읊조리듯 한마디 건넸다. 자연스레 입꼬리가 올라갔다. 나 역시 한가로이 커피를 마시는 이 순간이 이유 없이 좋았으니까. 아무것도 하지 않아도 좋은 여행, 역시 시칠리아다웠다.

 다시 찾고 싶은 여행지가 있고 한 번으로도 충분한 여행지가 있다. 시칠리아는 전자다. 다른 곳에 못 가더라도 결국 다시 찾아가고 싶은 곳은 시칠리아였으니까. 로마에서 잠시 머물던 그 몇 년간 성심성의껏 이탈리아를 돌아다녔다. 한때 이탈리아의 전부를 느끼고, 맛보고, 여행했다고 자만하기도 했다. 그러다 시칠리아를 만났다. 이곳이야말로 이탈리아의 맛, 역사, 신화, 바다와 화산, 그리고 사람까지 모든 것을 함축해 놓은 여행지였다. 그제야 시칠리아를 보지 않고서는 이탈리아 여행을 말할 수 없다고 칭송한 독일의 대문호 괴테의 마음을 알 것만 같았다. 시칠리아에는 그리스보다 더 그리스적인 신전들이 남아있고, 아랍과 노르만 양식이 혼재된 독특한 도시 문명이 곳곳에 흔적처럼 존재하며, 시칠리아 사람들의 손맛과 삶의 멋까지 즐길 수 있다. 이토록 매력적인 시칠리아지만 아직은 우리에게 낯선 여행지기도 하다. 그랬기에 첫 번째 공정여행이 시칠리아일 수밖에 없었다. 그 어느 곳을 떠올려도, 그 끝은 시칠리아를 향해있었으니까. 결국엔 시칠리아였다.

코펜하겐,

도시를 재생하다

뭐 땜에 행복하지?

대한민국 국민이라면 누구나 관심 가지는 순위가 있다. 전세계에서 어느 나라 국민이 제일 행복하냐고 물어보고, 통계를 내주는 UN 세계행복보고서(WHR: World Happiness Report)다. 행복순위 50위권에 들지 못하는 대한민국과는 달리, 1위를 차지한 나라가 있다. 동화작가 안데르센의 고향, 덴마크다.

늘 궁금했다. 덴마크 사람들이 스스로 행복하다고 자신 있게 말하는 이유가 무엇일까. 도대체 어떤 매력을 가졌기에 국민의 행복지수가 높은 걸까. 생활수준이 높아서? 복지제도가 좋아서? 일과 삶의 균형인 워라벨이 지켜져서? 북유럽 관련 책들만 봐도 복지, 교육, 환경 등 행복지수와 관련된 키워드가 대부분이었다. 한쪽으로 편향된 정보만으로는 그 나라에 대해 제대로 알 수가 없다. 그렇다면? 가면 되지. '휘게의 나라' 덴마크로!

너의 매력을 찾아서

기대가 높으면 실망도 큰 법. 여름에도 시원하다고 했는데,

예상 밖의 더위에 정신이 몽롱해졌다. 역시 어느 나라든 날씨 정보는 믿을 게 못 되구나 싶었다. 그러다 문득 씁쓸해졌다. 기후변화를 북유럽도 피해 갈 수 없다는 사실이 뜨거운 햇볕처럼 따갑게 와 닿았다. 북반구에 있는 덴마크도 이젠 고온현상을 피할 수 없게 된 것일까. 비행기를 타는 것이 죄스러웠다. 무거운 마음을 조금이나마 덜고 싶었다. 물과 기름을 잡아먹는 과일 아보카도가 올라간 샌드위치를 포기했다. 대신 생선튀김을 먹었다. 안 그래도 퍽퍽한 튀김을 먹는데, 대답하기 모호한 질문을 받자 목이 턱 막혔다. 질문한 여행자도 아리송했던 것 같다.

"덴마크의 매력이 뭘까요? 왜 북유럽이 좋다고들 이야기하는지 아직 모르겠어요." 여행지의 매력과 좋음에 대한 이유는, 내가 정하는 게 아니다. 여행자들이 여행하면서 느끼는 개별적인 감상이어야 한다. 그러니 스스로 찾아야 한다고 생각했다. 내 주관이 잣대가 되어 여행을 판단하지 않았으면 했다. 그래서 나의 주관은 잠시 숨기고, 종종 여행자의 생각을 들춰내기도 했다. 오롯이 자신이 느끼고 경험하는 여행이 중요하니까. 그렇게 서로의 여행을 공유하다 보면, 예상 밖의 여행 이야기가 펼쳐지곤 했다. 그런데 이럴 수가. 코펜하겐에 도착한 첫날부터 질문에 대한 답을 나조차도 찾지 못해 당황한 것이다.

"덴마크는 역시 디자인이죠."라는 무성의한 대답을 하고 싶지 않았다. 눈에 불을 켜고 찾아다녔다. 그런데 내 눈에만 보이지 않는 것인가. 디자인, 환경, 디자인, 공기, 또 디자인…. 또 뭐가 있지? 돌이켜보면 보이지 않는 게 당연했다. 그게 덴마크의 매력이었으니까. 어이없게 들리겠지만, 덴마크는 관광지가 없어서 좋았다. 파리, 로마, 런던처럼 볼거리가 넘쳐흐르지 않았다. 이곳에서는 관광지를 찾아다니는 관광객이 되지 않아도 된다. 오히려 부담 없이 여행할 수 있다. 그러면 관광지 대신, 사람들이 눈에 담긴다. 도서관에 피크닉 나온 가족들, 자전거 타고 출퇴근하는 직장인들, 바다에서 카약을 타는 청년들이 보인다. 그들처럼 잔디밭에 누워 멍 때리며 여유를 부릴 수 있다. 무언가를 굳이 하지 않아도 좋은 여행이 별건가 싶지만, 힘들다. 그런데 그곳이 덴마크라면 가능하다. 이만한

66

아무것도 하지 않아도 좋은 여행, 흔치않다
볼거리가 없는 여행, 생각보다 지겹지 않다
그것이 기억조장 여행일지라도
그 도시와 그곳에 사는 사람들을
구경하는 재미가 퍽 재밌었나보다

København, Danmark

매력, 흔치 않다. 다시 텁텁한 생선튀김을 먹더라도, 이젠 목 막히지 않고, 이곳의 매력을 자신 있게 대답해 줄 수 있겠지. 발걸음이 한결 가벼워졌다.

행복을 기다리는 사람들

코펜하겐은 한적했고, 여유로웠다. 거리에도 상점에도 사람들이 그다지 많지 않았다. 이유가 있었다. 다들 그림자를 피해 햇빛 쏟아지는 해안가로 나와 있었다. 그리고 뜨거운 햇빛을 그대로 받으며 행복해했다. 다른 유럽 국가에서도 흔히 봐왔던 모습이긴 하지만, 이 정도로 많은 시민이 도심에서 피서를 즐기는 모습은 이질적인 광경이었다.

덴마크 사람들의 행복지수의 상당 부분은 일조량과 관련 있다. 여름에는 행복지수가 높지만, 반대로 겨울에는 계절성 우울증에 시달린다고 한다. 이러한 빛의 빈곤현상은 북유럽의 지역 특수성에 기인한다. 덴마크뿐만 아니라 스웨덴, 노르웨이, 핀란드와 같은 북유럽 국가들을 백야의 나라라고 부른다. 5월부터 8월까지는 해가 지지 않는 백야가 펼쳐지기 때문이다. 새벽이 되어서도 밝은 나날이 지속된다. 여름은 오롯이 해의 계절인 것이다. 세상에 존재하는 모든 햇빛을 온몸으로 맞으며 그 순간을 즐기는 거다.

셰익스피어의 희극 〈한여름 밤의 꿈〉이 있다. 우리는 한여름을 가장 더운 날로 알고 있지만, 일 년 중에 해가 가장 길게 떠 있는 날인 하지 Midsummer's Day를 의미한다. 그 시기가 대략 6월 말경이며, 이때 하지 축제를 연다. 하지제는 햇빛에 대한 동경에서 유래되었다는 설도 있다. 백야의 나라에서 햇빛은 소중한 존재니까 말이다. 그래서 여름빛을 받으며 즐길 수 있는 이 축제를 위해, 온 가족이 모인다. 모든 축제가 그렇듯 마을 사람들이 모여 노래를 부르고 춤을 추며 흥겹게 이 축제를 즐긴다고 한다.

흑야가 있기에 백야의 소중함을 알지

여름이 가고 길고 긴 겨울이 찾아온다. 흑야가 오면, 하루 중 17시간을 추운 어둠 속에서 지낸다. 현저하게 줄어든 햇빛으로 인해, 쓸쓸함과 허무함을 느끼게 된다. 어둡고 쓸쓸한 날이 지속된다. 추위는 참을 수 있지만, 빛의 부족은 견딜 수 없을 정도로 힘든 것이다. 그래서 이 우울한 시기를 헤쳐나갈 방법이 필요했다. 그건 소중한 사람들과 보내는 안락한 일상이었다. 우울한 걱정은 잠시 내려놓는다. 가족들과 함께 식사하고, 대화하며, 각자의 취미를 즐기는 거다. 그걸 덴마크에서는 휘게 Hygge라고 부른다. 휘게는 가족과 친구와 함께 보내는 소박하고 여유로운 시간이다. 그리고 일상 속에서 즐기는 소소한 즐거움이며, 안락한 환경에서 오는 행복을 의미한다. 어쩌면 휘게는 길고 긴 겨울을 보낼 수 있는 버팀목일 수도 있다. 집 밖은 아무리 어두울지라도, 집에서는 따뜻한 촛불을 밝히고 소중한 이들과 함께 마음의 안정을 찾는 것이다. 우리에게는 휘게가 삶의 여유를 즐기는 라이프스타일로 보이지만, 이들에게는 어둡고 긴 겨울을 서로 의지하며 버텨온 삶의 방식인 것이다.

　누군가는 당연하다고 여기는 햇살도 어떤 곳에서는 보물처럼 여긴다. 한여름 밤의 꿈처럼 백야에 찾아오는 햇빛의 고마움을 생각해봤다. 코펜하겐 사람들이 햇빛을 소중히 여기듯,

나는 이곳에서 푸른 하늘이 얼마나 소중했는지를 깨닫고 있었다. 어느 순간 익숙해져 버린 서울의 회색빛 하늘. 익숙해지면 안 된다는 것을 알면서도 어느 순간 미세먼지 농도와 탁한 하늘을 당연하듯 받아들였다. 날씨보다 미세먼지를 먼저 확인하고, 마스크를 챙겨 출근하는 일상이 익숙해졌다. 그러다 잿빛 하늘이 지나가고 반갑게 찾아온 푸른 하늘을 보면 미소가 절로 지어졌다. 아마도 이 느낌일 것이다. 이곳 사람들도 여름빛을 보며 행복해하는 이유를 알 것만 같았다. 길고 긴 흑야가 끝나고 찾아오는 백야의 소중함을 알기에, 그만큼 햇빛이 소중한 거겠지. 어두운 겨울에 우울증을 앓다가 여름에 회복하고 싶은 마음, 이들에게 햇볕은 최고의 보약인 것이다.

다 나와! 자전거가 간다

태양을 피해 그림자를 찾아다니던 나에겐, 태닝을 즐기는 코펜하겐 시민들의 모습은 낯설었다. 그리고 처음 마주한 도로 역시 그랬다. 쓸데없이 급한 성격 탓에 건널목과 가장 가까운 인도에 서서 신호를 기다리고 있었다. 그러다 문득 느낌이 싸

해서 주위를 두리번거렸다. 역시나 내 주변에 아무도 서 있지 않았다. 뭐가 문제인진 모르겠으나 여기에 서 있으면 안 된다는 정도의 눈치는 있었다. 그래서 슬그머니 뒷걸음쳐 신호를 기다리는 사람들 주변으로 걸어갔다. 곧 신호가 바뀌었다. 인도라고 착각했던 그 자리를 지나간 건, 수십 대의 자전거였다. 그렇다. 나는 뭣도 모르고 자전거 도로에서 신호를 기다리고 있었던 것이다.

차도 옆은 인도 아닌가? 차도 옆은 자전거 도로, 그리고 인도라는 공식은 익숙하지 않다. 서울에도 자전거 도로가 있긴 하지만, 거의 본 적이 없었다. 코펜하겐은 차량보다 자전거 이용자가 훨씬 높은 비중을 차지한다. 이 도시의 자전거는 나들이용이 아니다. 정장을 빼입은 직장인들이 타고 다니는 교통수단인 것이다. 이미 100년 전 세계 최초로 자전거 전용도로를 만든 자전거의 나라였다고 하니, 말 다했지.

자동차가 불편한 도시

코펜하겐이 자전거의 도시로 자리매김한 이면에는, 자전거

우선 정책이 있었다. 이 정책은 차량 이용을 줄이는 것을 목적으로 시작했다. 방법은 간단하지만 치명적이다. 도심에 자동차를 끌고 오면 여러모로 화병 나는 장치들을 곳곳에 심어둔 것이다.

차도와 자전거 전용도로는 나란히 만들어져있다. 먼저 신호를 받고 출발하는 교통수단은 자전거다. 자전거가 달리고 그후에 자동차가 움직이는 거다. 그리고 자전거 전용 고속도로를 만들어 출퇴근 자전거 이용자의 교통 혼잡을 해결하기도 했다. 게다가 도심 내에 자전거 주차 공간을 확보해, 수백 대에 이르는 자전거 주차를 가능하게 한 것이다. 심지어 무료다. 반면에 자동차에 부과하는 세금은 엄청 나고, 차도가 자전거 도로보다 좁으며, 주차 시설은 적은 데다 주차비까지 비싸게 받는다. 그러니 어느 누가 자동차를 이용하려고 할까.

자동차가 불편한 사회를 만든 덴마크의 과감함은 놀라운 결과를 가져왔다. 덴마크 국민 절반 이상이 자전거로 출퇴근하고, 10명 중 9명이 자전거를 보유하고 있다고 한다. '자동차는 불편하지만, 자전거는 편하다.'는 인식이 자리 잡게 된 것이다. 차량이용 감소는 결과적으로 덴마크에 미세먼지 없는 깨끗한 공기를 선물했다. 자전거 바퀴가 달리는 도시야말로, 저탄소 사회로 가는 지름길이라는 것을 증명한 셈이다. 그리고 도로 위의 '계급'을 없앴다. 차량 브랜드로 타인의 부를 평가하고 부자와 가난한 자를 차별했던 보이지 않는 계급이 사라졌다. 대신 비교하지 않는 자전거 문화가 탄생한다. 장관, 국회의원과 같은 고위 공직자들도 의전 차량이 아닌 자전거로 출퇴근하는 사회니까 말이다.

'자동차가 아닌 사람이 중심인 도시 설계', 누구나 쉽게 말은 할 수 있지만 멋있게 실천하기는 힘들다. 그런데 그 어려운 것을 보란 듯이 재설계해서, 덴마크는 친환경 정책의 상징적인 나라가 되었다. 더욱이 건강하고 행복한 삶을 누릴 수 있는 환경까지 만든 것이다. 겨울을 무척이나 싫어하는 나에게, 덴마크의 흑야는 괴롭게 다가왔다. 그래서 행복지수 1위라는 것을 이해할 수 없었다. 그런데 이제는 알 것 같다. 왜 덴마크 국민이 행복하다고 답했는지를.

코펜하겐에서 타는 따릉이

나의 첫 자전거는 파란색 삼천리 자전거였다. 산타할아버지가 주신 크리스마스 선물이었다. 실구매자였던 아빠와 자전거를 처음 탄 날에 대한 기억도 또렷하다. 운동장에서 자전거를 꼭 잡고 있다는 아빠의 말을 믿고 앞만 보고 페달을 밟았다. 걱정하지 말라던 아빠는 자전거를 잡고 있던 손을 놓고 내 뒤를 따라오고 있었다. 혼자 자전거를 탈 수 있다는 사실이 그토록 설레었다. 그렇게 나의 첫 번째 바퀴 달린 교통수단은 자전거가 되었다.

자전거 나라에 왔으니 자전거 페달을 신나게 밟아야겠지. 서울에는 따릉이가 있다면, 코펜하겐에는 시티바이크가 있다. 공유자전거인 시티바이크를 타고, 마치 한강공원 가는 것처럼 코펜하겐을 달렸다. 코펜하겐에는 자전거 이용자들끼리의 암묵적인 규칙이 있었다. 자전거 이용이 처음인 여행자들은 눈치껏 따라 하면 된다. 앞사람과 뒷사람을 보고 함께 이동하면서, 도로의 규칙을 익히고 자전거 신호를 읽었다. 시스템에 적응하고 나니, 자전거 부대에 속해있다는 소속감과 안정감이

66

깨끗한 공기만큼은
모두가 공평하게 누릴 수 있다 여겼건만
어느덧 이마저도 돈 주고 마셔야 했다
공기도 자본주의가 된 것일까
자본주의가 공기를 앗아간 것일까
자전거 페달을 힘차게 밟으며
숨 쉬는 자유를 잠시나마 만끽했다

København, Danmark

느껴졌다. 자전거는 한국에서 훨씬 오래 탔는데, 왜 소속감은 덴마크에서 느꼈던 것일까. 따릉이 탈 때는 항상 신경이 곤두서 있었다. 서울은 자전거 이용자가 많지 않다. 그래서 자전거 규칙을 배울 기회도 적고 보행자와의 소통도 부족했다. 자전거 타는 사람들과의 연대가 형성되기 어려웠다. 눈치 보며 요령껏 보행자와 차량을 피해 가면서 탄 것이다.

그랬던 대한민국의 수도, 서울에 새로운 바람이 불고 있다. 최악의 미세먼지가 서울 도심을 뒤덮으며 시민들도 환경의 중요성을 깨닫게 된다. 자연스레 친환경 교통수단인 자전거에 관한 관심이 높아졌다. 따릉이의 이용자 수는 매년 증가하며 지속적인 성장세를 이어오고 있다고 한다. 수요가 증가하면 그에 걸맞은 자전거 인프라도 구축될 것이다. 언젠가 시민들도 자전거를 대중교통 중에 하나로 인식하는 날이 올 것이다. 그때가 되면 자전거로 출퇴근하는 도시 라이프스타일이 자리 잡지 않을까 싶다. 마치 덴마크의 사이클 시크 Cycle Chic 운동처럼 말이다. 자전거와 패션의 콜라보로, 정장이나 패셔너블한 옷을 입고 자전거를 타는 시크한 라이프스타일을 뜻한다. 선수용 운동복을 입고 헬멧을 쓰고 자전거를 이용하는 규칙은 없다. 일상복을 입고 일상에서 자전거를 탄다. 이 운동은 결과적으로 자전거로 출퇴근하는 라이프스타일을 가능케 했다. 코펜하겐에서 자전거 페달을 밟으면서, 우리에게도 자전거 타는 문화가 하나의 트렌드가 되길 바라본다. 그러면 눈치 보며 자전거 페달을 밟지 않아도 되겠지.

토스카나에서

장인정신을 배우다

변하지 않아서 좋은 그곳

낡은 필름 카메라처럼, 오래도록 기억에 남아있는 장면들이 있다. 그건 대게 특별한 순간이 아니다. 무료한 일상 속에 찾아온 익숙한 행복이었다. 그래서였을까. 이탈리아에서 가장 좋았던 기억을 꼽으라면, '그때'라고 대답할 것만 같다. 나를 위해, 이탈리아까지 와준 십년지기들과 오렌지 정원에 앉아 웃고 떠들던 그때 그 순간이라고.

"왜 이탈리아야?"

"…"

친구들은 나름 나의 전공분야였던 독일이 아닌, 생뚱맞게 이탈리아를 선택한 이유를 늘 궁금해했다. 솔직한 심정으로는, 이렇게 대답하고 싶었다.

"여긴 진짜 같았거든. 유럽의 다른 박물관은 절대 모방할 수 없는 것이, 로마에는 있어. 예술가들이 작품을 그린 그 장소에서 작품을 볼 수 있는 거야. 내가 작품을 감상하는 공간이, 곧 500년 전 예술가들이 그림을 그려나갔던 그 장소인 거지. 시간을 뛰어넘어, 그 공간을 함께 공유한다는 것 자체가

"

20대 배낭여행의 종착점이자
또 다른 여행의 출발점이 되어준
로마, 그리고 바티칸
애틋한 장소가 마치 한 폭의 그림처럼 보이는
몰타기사단의 열쇠 구멍에서

Roma, Italia

감동적이었어.”

좀 있어 보이는 미사여구를 총동원해서 말하면 정적이 흐르겠지. 나조차도 본심을 말하면 손발이 오글거리기에, 대신 이렇게 대답했다.

“한결같아서.”

이탈리아는 시간이 지나도 바뀌는 게 없다. 도시의 풍경도, 길거리 상점도, 레스토랑 웨이터도, 미술관 그림들도 다 그대로다. 10년 전에 왔다가 10년 후에 다시 와도 변한 것이 없다. 그래서 그 한결같음이 참 좋다. 어제의 신규 모델이 내일은 중고 제품이 되어 버리는 세상에서, 이탈리아는 고집스럽게 그들만의 시간을 살아가고 있다. 그래서 이탈리아인이 워낙 여유롭고 느긋하다 보니, 빠른 속도에 익숙한 우리에게는 속 터지는 민족이기도 하다. 그렇다고 해서 이탈리아인의 느린 속도 때문에, 이들이 발전 없이 시대에 도태된다고 생각하면 오산이다.

이탈리아의 느림은 시간이 지나도 변하지 않는 가치를 추구하는 데 있다. 공장에서 빠르게 찍어내 몇 번 쓰다 버리는 공산품이 아닌, 공방에서 오랜 시간 정성 들여 만든 수공예품을 만들어낸다. 그래서 시간이 지날수록 값어치가 오르는 자산이 되기도 한다. 이는 이탈리아를 대표하는 수많은 명품 브랜드가 지금까지 사랑받는 이유이기도 하다. 명품 브랜드의 창립자들도 과거에는 가죽 공방의 아저씨들이었다. 로마의 불가리, 피렌체의 페라가모, 밀라노의 프라다가 대표적이다. 가죽 공방의 장인으로서 자신이 가지고 있는 노하우와 오랜 경험을 바탕으로 한 땀 한 땀 공들여 가방과 신발을 제작했다. 그런 장인정신이 쌓이고 쌓여 탄생한 것이 지금의 명품 브랜드인 것이다.

장인정신을 찾아서

장인의 영역은 비단 고가의 제품에만 국한되지 않는다. 이탈리아는 가방, 구두, 커피, 와인 등 무엇이든 장인정신으로 만든다. 그중 이탈리아인의 장인정신을 잠시나마 엿볼 수 있는 현지 프로그램이 있다. 이들에게는 자부심과도 같은 와인 농가 투어다. 이탈리아로 말할 것 같으면, 로마 시대부터 약

66

오래된 골목길을 걷다
어디선가 바람이 불어온다
푸른 토스카나 평원이 보인다
여전히 그 모습 그대로다
이곳만은 시계바늘이 멈춰져 있는 거 같다
아니면 200배속으로 느리게 움직이는 걸지도

Pienza, Italia

3000년의 포도주 역사를 지닌 와인 종주국이다. 중부 피렌체를 중심으로 한 토스카나와 북서부 알프스 산맥의 피에몬테는 이탈리아 2대 와인 산지로 유명하다. 특히 토스카나 지방은 풍경마저 낭만적인 곳이다. 높낮이가 다른 구릉을 따라 정갈하게 늘어선 포도밭과 하늘로 높게 뻗은 사이프러스 나무가 끝없이 펼쳐져 있다.

　그 푸른 대지 위에 작게 솟아오른 언덕이 시야를 사로잡는다. 어렴풋이 보이는 희미한 형상은 가까이 가면 갈수록 또렷해진다. 안개가 휘감고 있는 그곳에는 작은 성채마을이 있다. 중세 시대의 모습을 고스란히 간직한 마을을 걷다 보면, 마치 시간 여행을 하는 듯하다. 그러다 좁은 골목길 사이로 언뜻 보이는 토스카나 평원은 그 자체만으로도 아름답다. 평원에는 싱그러운 포도나무만 있는 것은 아니다. 곳곳에 농가 건물이 자리 잡고 있다. 아마 토스카나 와인 농장일 것이다. 그곳에 가면, 아직도 장인들이 전통방식으로 와인을 생산하고 있다. 할아버지에게서 아들로 그리고 그 자식에게로 대를 이어 농장을 운영해 오고 있다. 부모님이 알려주신 노하우를 가지고 오랜 시간 공들여 한 병의 와인을 만들어낸다. 그래서 공장에서 찍어내는 와인과는 향부터 다르다.

심지어 토스카나의 와인 농가들은 같은 포도로 담가도 집집이 서로 다른 와인 맛을 낸다. 마치 김치 담그기와도 같다고 해야 할까. 배추는 같지만, 김치의 맛은 제각각이잖아? 집집마다 내려오는 어머니의 레시피와 손맛이 서로 다르기 때문이다. 토스카나 와인도 이와 같은 맥락이라 볼 수 있겠지. 농가의 오랜 손맛을 담은 와인이 점차 대중화되면서, 숨겨진 보석 같은 와이너리에 대한 관심도 높아졌다. 와인을 만드는 사람에 따라 다른 맛과 향을 띄는 현지 와인을 찾기 시작한 것이다. 그러다 보니 시대의 흐름에 따라 와인 농가들도 변화한다. 직접 홈페이지를 만들어 자부심 가득한 와인들을 소개하기 시작한다. 그 덕분에 여행자들이 사전에 예약하면 와이너리를 소개해주는 투어까지 탄생하게 된 것이다. 아쉬운 점은 대중교통이 없다는 것뿐. 농가들이 기차나 버스가 다니지 않는 한적한 평원에 자리 잡고 있거든.

토스카나 와인농장 방문이야말로, 현지 문화를 이해하고 삶

의 방식을 체험해볼 수 있는 절호의 기회라 여겼다. 와이너리
는 기업이 관리하는 대규모 농가와 농부들이 개별적으로 운
영하는 소규모 농가로 나뉜다. 가족들이 운영하는 농가 중심
으로 연락했고, 고민 끝에 선택한 곳은 아버지와 딸이 운영하
는 소규모 농가였다. 몬테풀치아노 Montepulciano 인근에 위치
한 포도밭에 도착했다. 그곳에는 밀짚모자를 쓰고 장화를 신
고 있는 멋진 여인이 있었다. 아버지와 함께 포도 농가를 운영
하는 딸 마리아였다. 그녀는 이곳을 방문하는 한국인은 처음
이라며 환한 미소로 우리를 환영해줬다.

　끝이 보이지 않는 포도밭에서 포도 품종소개를 시작으로 투
어가 진행되었다. 포도밭은 약 15개의 구획으로 나뉘어서 관
리하고 있고, 그중 가장 오래된 포도밭이 약 70~80년 정도 되
었다고 했다. 몇 년 된 포도밭에서 재배된 포도를 사용 하냐
에 따라 와인의 맛도 천차만별로 달라지겠지. 포도밭을 둘러
본 후 스테인리스 와인 탱크들이 있는 1층을 지나 지하 저장
고로 향했다. 와이너리 투어에서 가장 기대했던 곳이기도 했
다. 지하 저장고는 연중 일정한 온도와 습도를 유지해야 해야

하다 보니, 축축하고 차가웠다. 와인을 담은 오크통들이 줄줄이 놓여있었다. 새 오크를 사용하게 되면 오크향이 강하게 남다 보니, 대부분 2~3년 이상 사용한 오크를 사용한다고 했다. 강한 오크향이 배는 것을 막고 과실 자체의 향을 와인에 담아내는 것이다. 그렇게 탄생한 와인이 바로, 와인 최고등급인 DOCG를 받은 비노 노빌레 디 몬테풀치아노 Vino Nobile di Montepulciano이다.

　토스카나 와이너리 투어와 함께 떠오르는 또 다른 체험 프로그램이 있다. 바로, 아그리투리스모 Agriturismo라고 불리는 '농가민박'이다. 이탈리아어 아그리콜투라(Agricoltura; 농업)와 투리스모(Turismo; 관광)의 합성어다. 농업의 기계화로 인해 전통방식을 고수하던 농민들은 경쟁력을 상실하게 된다. 결국, 농부들은 자신의 농장을 버리고 새로운 일을 찾아 도시로 떠나게 된 것이다. 이 사태를 이탈리아 정부도 더 이상 두고 볼 수만은 없었다. 농부들이 전통방식의 농업을 유지할 수 있게끔 농가지원 정책을 펼친다. 그 프로젝트가 바로 농가민박인 아그리투리스모였다. 결과적으로, 이 프로젝트는 오래된 농가

> 느리지만 우직하게 전통을 이어 나가는 장인들
> 그들이 담근 한 병의 와인은 그 값어치를 매길 수 없기에
> 그토록 영롱한 빛으로 반짝이나 보다

Montepulciano, Italia

를 숙박시설로 개조해서 농민에게는 수익을 여행자에게는 색다른 경험을 선사하게 된 것이다. 농가민박에서 숙박만 하는 것은 아니다. 특별한 혜택도 누릴 수 있다. 지역 특산물로 요리한 가정식을 맛볼 수 있고, 토스카나 풍경을 안주 삼아 농가에서 담근 와인도 마실 수 있다. 무엇보다도 도시의 소음에 지친 여행자들에게 시골 전원생활의 한적함을 만끽할 수 있다는 것이 최고의 장점은 아닐까 싶다.

괴짜가 만드는 괴물

"좋은 와인 추천해주세요." 마리아는 웃으며 대답했다. "와인엔 좋고 나쁨이 없어요." 그리고 마치 저 대답만 수천 번은 했던 사람처럼 말을 이어나갔다. "이탈리아 사람이라면 누구든, 심지어 가정집에서 담그는 과실주조차도 정성들여 담가요. 모두가 좋은 와인을 만들려고 노력하거든요." 당연히 자신이 만드는 몬테풀치아노 와인이라는 답변을 기대했는데, 마리아의 대답은 예상을 빗나갔다. 와인을 비교하지 않는 마리아의 자세에서 이탈리아 와인에 대한 자부심이 느껴졌다.

"세계 최고가 와인들은 프랑스가 장악하고 있어요. 하지만 이탈리아에서도 나름 괴짜 같은 와인들이 종종 등장합니다. 그것도 유명한 와이너리가 아닌, 이렇게 작은 시골 마을의 농가에서요. 수십 년 동안 우직하게 한 가지 품종만으로 와인을 빚는 장인들이 있거든요. 성격 괴팍하시고 맨날 호통치시는 고집불통의 괴짜 할아버지들이에요. 그분들은 소량의 빈티지 와인을 생산해요. 한 병에 천 유로가 훌쩍 넘는 고가지만 구하기 힘들 정도로 귀한 와인들이에요. 와인의 맛과 향 자체도 물론 훌륭하죠. 하지만 와인의 진짜 가치는 할아버지가 쌓아 온 시간에서 나오는 겁니다. 고집불통 괴짜들이 빚어낸 장인 정신을 높이 평가하는 거죠."

와인은 그 와인을 빚는 사람을 닮는다고 한다. 만드는 사람의 품성과 성향이 고스란히 와인에 담긴다는 말이다. 마리아가 만든 와인에서는 나무와 흙 향이 느껴졌다. 진흙 묻은 장화를 신고 있던 첫 만남이 떠올랐다. 우직하게 자기 일을 하는 마리아의 성품이 고스란히 느껴지는 와인. 마리아도 훗날에 괴짜 와인을 만드는 할머니가 되어 있지 않을까. 토스카나에서 만난 젊은 장인은 우리에게 잊으면 안 되지만 잊고 사는 것들, 잃으면 안 되지만 잃어가는 것들을 다시금 생각해 보게 했다. 누군가는 미래를 향해 나아가고, 또 다른 누군가는 묵묵히 전통을 지켜나가고 있다는 것을. 서로가 가는 길이 다를지라도, 그 사이 어디쯤 적정선이 만들어지지 않을까. 일상을 살아가는 현재의 우리처럼 말이다.

그라나다가

그라나다하다

세 개의 언덕, 세 개의 이야기, 그리고 하나의 도시

다시 찾은 그라나다는 여전히 아름답고도 뜨거운 땅이었다. 발길 닿는 곳마다 아기자기한 골목들이 가득했고, 가는 곳마다 오렌지 꽃 향이 진동했다. 그와 동시에 조금은 이질적인 땅이기도 했다. 도시 곳곳에는 라틴어가 아닌 아랍어가 적힌 간판과 아라베스크 타일이 즐비했고, 그라나다 대성당 옆에는 아랍인들의 시장이 자리하고 있었다. 기독교 국가인 스페인에 아라비아어라니, 다른 도시에서는 보지 못한 색다른 광경이기도 하다.

그러다 그라나다 도심을 둘러싸고 있는 세 언덕의 기구한 사연을 듣고 있노라면, 막연히 이질적이라고 단정 짓기 어려워진다. 뭐랄까, 그라나다는 남다르다. 그 다름은 문화적 차이가 아닌, 서로 다른 것들이 어우러져 함께 자리 잡은 남다른 시선으로 다가온다. 자신만의 사연을 담은 그 언덕들은 알람브라 궁전이 자리 잡은 '사비카', 이슬람교도들이 마지막 도피처로 삼은 '알바이신', 집시들의 안식처인 '사크로몬테'다.

그 시작은 알 안달루스

한 도시에 세 개의 이질적인 세력들이 한 언덕씩 차지하고 살아가게 된 결정적인 사건이 있었다. 바로, 이사벨 여왕의 국토회복전쟁이다. 스페인에서, 특히 안달루시아 지역의 역사를 논할 때 절대 빠질 수 없는 세력이 있다. 8세기경에 스페인에 상륙해 이베리아반도 대부분을 차지한 이슬람 세력이다. 이슬람은 자신들이 지배한 땅에 '알 안달루스 Al Andalus'라는 이름을 붙였다. 이는 스페인 남부지역을 명칭 하는 안달루시아의 어원이기도 하다. 그렇게 이슬람 세력은 이 지역을 약 800년간 지배하면서 자신들의 문화와 예술을 찬란하게 꽃피우게 된다.

이슬람에 의해 땅을 빼앗긴 세력들은 훗날을 도모할 수밖에 없었다. 북쪽으로 쫓겨난 그들은 힘을 키워 이슬람 세력을 몰아낼 준비를 한다. 이슬람에 대항해 레콩키스타라 불리는 국토회복전쟁을 이끈 이들은, 기독교 세력이었다. 그들은 거듭 승리를 거두며 빼앗긴 안달루시아를 모두 점령했다. 단 하나, 그라나다만 제외하고 말이다. 그렇게 그라나다는 이슬람세력의 마지막 보루가 되었고, 이 땅에 이슬람 건축의 정수라 불리는 알람브라 궁전이 자리 잡게 된 것이다. 시작이 있으면 끝도 있는 법. 마침내 페르난도 2세와 이사벨 여왕이 그라나다를 함락함으로써, 무려 800년에 이른 이슬람 지배는 막을 내리게 된다. 국토회복에 승리한 기독교 세력은 알람브라 궁전을 차지하였고, 이슬람의 성스러운 언덕은 기독교도들의 땅이 되었다. 그렇게 이슬람의 나사르 왕조는 알람브라에서, 그라나다에서, 이베리아 반도에서, 스페인에서 쫓겨나게 된다.

신과 인간 그리고 자연의 만남, 알람브라 궁전

사비카 언덕에 자리 잡은 알람브라 궁전은 하나의 거대한 숲 같았다. 그런데 막상 궁전 내부로 들어가면 서로 다른 건축들이 뿜어내는 개성이 다각도로 펼쳐졌다. 그래서 지루할 틈이 없다. 궁전을 장식한 추상적인 문양과 술탄의 구절이 새겨진 이슬람 세공기술을 보면서, 그 섬세함에 소름 돋기도 처음이었다. 천장, 벽, 문틀, 기둥, 바닥 어느 공간에서도 빈틈을 찾아볼 수 없었다. 아라베스크 무늬의 촘촘함에 어질 거릴 즈음

들리는 청량한 분수 소리와 초록빛 정원을 보고 있노라면 평온이 찾아온다. 아마 분수에서 떨어져 바닥에 흐르는 물소리마저도 다분히 계획된 설계였을 거다.

알람브라 투어를 끝내고 나가야 했던 나도 이렇게 아쉬운데, 이토록 아름답고 사랑스러운 궁전을 기독교도들에게 빼앗겨야만 했던 나사르 왕조의 마지막 왕 보압딜은 분명 슬픔의 눈물을 흘렸을 것이다. 시답잖은 위안이라면 나사르 왕조는 막을 내렸지만, 그들이 남긴 위대한 유산은 지금까지도 찬란하게 빛나고 있으니 그나마 다행이라 해야 할까.

한 폭의 그림처럼

이슬람 최후의 보루였던 그라나다마저 빼앗긴 나사르 왕조는 아쉬움을 삼키며 이 도시를 떠났지만, 일부 이슬람교도들은 그라나다를 포기하지 않았다. 자신들이 뿌리박고 살던 이 땅에서 최후의 도피처를 찾는다. 서글프게도 그들이 자리 잡은 곳은 알람브라 궁전이 한눈에 담기는 반대편 언덕 알바이신이었다.

66

황금빛으로 물드는 알람브라가
한 폭의 그림처럼 담겨온다
마치 아라비안나이트를 본 것 마냥 설렜다
역시 뭐든지 타이밍이 중요하다
이 계절에, 이 날씨에, 이 시간에 맞춰
알람브라를 볼 수 있는 시기적절함이란

Granada, Spain

그라나다의 옛 거주지였던 알바이신 언덕은 초입부터 아랍 냄새를 물씬 풍겨왔다. 모로코에 있을 법한 아라베스크 문양의 양탄자와 알록달록한 스카프 등 각종 장신구가 시선을 사로잡았다. 이슬람의 영향력 아래 있었던 과거의 모습이 잊히지 않고 이 언덕에 고스란히 남아있었던 걸까. 새하얀 집들과 성채, 그리고 곳곳에 있는 사원을 보고 있노라면, 안달루시아의 전통 양식에 이슬람의 무어 양식이 스며든 것만 같았다. 그렇게 구불구불한 골목을 오르고 오르다 보면, 시야가 확 트이는 광경이 눈앞에 펼쳐진다. 드디어 산 니콜라스 광장까지 다다른 것이다. 광장이라기보다는 작은 테라스 같기도 했다. 좁을 골목 가득한 이곳에서 광장만 커도 이상하겠지. 무엇보다 이곳에서 바라보는 알람브라는 너무나도 아름다웠다. 어둠이 찾아오면 황금빛으로 물드는 알람브라 궁전의 찬란함이 한 폭의 그림처럼 담겨왔다. 붉은 알람브라 뒤로 웅장하게 펼쳐진 시에라 네바다산맥의 설산은 신비롭기까지 했다. 마치 그라나다에서 아라비안나이트를 만난 기분이었다.

시작은 집시 여인, 에스메랄다로부터

"엄마가 들려주던 얘기, 그리운 그곳은 스페인
안달루시아의 산과 길 위의 사람들 이야기
고향과도 같은 그곳, 상상 속의 안달루시아
보헤미안, 길 위에서 난 자랐지
마치 거역할 수 없는 내 운명"

그리운 고향으로 돌아가고 싶은 애끓는 마음이 느껴지는 이 독백은, 빅토르 위고의 소설을 뮤지컬로 각색한 '노트르담 드 파리'의 여주인공 에스메랄다가 부른 노래다. 어릴 적 내 기억에 자리 잡은 집시는 아름다운 에스메랄다였다. 생애 첫 뮤지컬이 '노트르담 드 파리'였다. 엄청난 규모의 무대와 음악에 사로잡혔고, 집시 특유의 몽환적이고 신비로운 분위기에 압도당했다. 그 후 노트르담 드 파리만 여러 번 보는 N 차 관람자가 되었고, 아르바이트비를 몽땅 티켓 구매로 쓰는 나를 보며 친구들이 고개를 절레절레 흔들 정도였다. 그 뮤지컬은 나로 하여금 집시는 아름다운 에스메랄다이며, 안달루시아는 자유로운 영혼들의 안식처라는 일종의 공식을 만들어줬던 것 같다.

그래서였을까. 세비야의 화려한 공연장을 뒤로하고, 그라나다의 작고 허름한 동굴 플라멩코를 선택했다. 플라멩코의 유래에 대해서는 의견이 분분하지만, 그라나다의 사크로몬테가 중심적인 역할을 했다는 주장에 무게를 실어주고 싶다. 플라멩코의 원천은 집시였고, 이 자유로운 영혼들이 길 위에서의 방황을 끝내고 정착한 곳이 바로 사크로몬테였으니까. 언덕 경사면을 파서 만들어진 동굴 집들로 이루어진 마을은 메마른 거주지였을 것이다. 하지만 오랜 세월 떠돌아다닌 집시들은 그곳조차 안식처라 여기지 않았을까. 지금도 동굴 마을엔 자유로운 영혼들이 삶을 영위하며 집시의 문화를 이어가고 있다. 그러다 보니 집시들의 흔적이 고스란히 남아있는 언덕이기도 했다.

그들의 자유는 자유일까

플라멩코 공연이 열린 그 날의 어두운 밤이 아직도 눈앞에 생생하다. 공연은 밤 9시에 시작했다. 가로는 좁고 세로가 긴 40석이 채 되지 않는 소규모 공연장이었다. 맞은편에 앉은 사람과 간격이 2m를 간신히 넘길까 싶을 정도로 가까웠다. 동굴 공연장을 눈에 담기 무섭게 기타 연주가 흘러나왔다. 공연이 시작된 것이다. 어디선가 구슬프게 울부짖는 목소리가 들리며 무용수들의 춤사위가 펼쳐졌다. 서글픈 노래와 기타연주, 구두로 바닥을 내리치는 소리가 동굴에서 울려 퍼졌다. 가사를 이해할 수 없지만, 그들이 내는 소리는 너무나도 애잔해 가슴이 시려왔다. 마치 판소리를 듣고 있는 것만 같았다. 공연이 막바지에 다다르자, 젊은 여자 무용수의 단독 무대가 펼쳐졌다. 반주 소리와 노래가 커질수록, 그녀의 춤사위도 격해졌다. 가슴 속에 억눌린 감정을 쏟아내는 그녀의 눈빛, 발소리, 동작에 모두 넋을 놓았다. 마치 접신한 것 같은 그녀의 춤사위에 저도 모르게 숨을 죽였다. 그리고 고통 어린 그녀의 표정을 보며, 더 이상 내게 집시는 아름다운 춤을 추던 에스메랄다일 수 없게 되었다.

　집시들을 자유로운 영혼이라 부른다. 그들은 제약 없이 어디든 떠돌아다닐 수 있다. 그런데 그게 정말 자유로운 삶일까. 그 삶이 행복했다면 집시들이 저렇게 애잔하게 노래를 부르고 춤을 췄을까. 한가득한 목소리로 울부짖지도 비통한 마음에 발을 바닥에 내리치지도 않았을 것이다. 누구도 받아주지 않기에, 정착할 수 없어 떠돌아다닌 방랑생활이 무척이나 힘들었을 것이다. 수백 년에 걸친 집시들의 이야기를 1시간 공연 동안 만난 기분이었다. 그리고 사크로몬테 공연장에서 집시에 빙의한 젊은 무용수를 만난 것을 감사히 여겼다. 그래서였을까. 알바이신 지구를 돌아내려 가며 만난 집시 여인에게 속는 척 점을 봐주고, 택시비로 챙겨간 10유로를 수고비로 선뜻 건네주며, 사크로몬테에서 알바이신 지구로 걸어 내려갔다. 공연이 준 여운을 좀 더 느끼고 싶었기에, 그 날은 그러고 싶었던 밤이었다.

집시의 춤이 플라멩코가 된 것처럼

그라나다에는 어울리지 않는 세 개의 다른 문화가 존재한다. 기독교, 이슬람, 그리고 집시. 그들은 물과 기름처럼 섞일 수 없지만 아이러니하게도 서로 공존하고 있다. 오랜 세월 서로 다른 문명이 떠돌아다녔는데, 그들 사이에 교집합 하나 정도는 만들어지지 않았을까. 어쩌면 이질적인 것들이 공존하다 어우러진 문화가 플라멩코는 아니었을까.

플라멩코가 집시의 예술이 맞지만, 오로지 그들만의 것이라고는 할 수 없다. 도시가 겪어온 격동의 역사와 그 시대를 살아간 사람들의 문화가 뒤엉켜 하나의 이야기로 남아있으니까. 플라멩코를 정의하기 힘든 이유도 그 안에 서로 다른 문화가 혼재되어 있기 때문은 아닐까. 마치 그라나다처럼. 그래서 더욱 이 도시가 재미있다. 그리고 도시가 품은 사연들이 신비롭다. 그래서 다들 이렇게 말하나 보다. '그라나다가 그라나다 하다.'

66

서로 다른 이질적인 것들이
함께 공존하는 도시
그곳은 그라나다였네, 그리고 플라멩코였네

Granada, Spain

베네치아 침수서점의

빛바랜 잉크자국

OOO가 없는 도시, 베네치아

도시 자체가 하나의 수식어가 되기란 쉽지 않다. 그 어려운 타이틀을 수백 년간 지켜온 한 도시가 있다. 물의 도시, 베네치아다. 이탈리아 북부에 위치한 베네치아는 118개의 섬으로 이루어진 유명한 운하 도시다. 섬과 섬을 연결하는 400여 개의 다리와 200여개가 넘는 운하를 중심으로 좁은 골목과 광장 그리고 수많은 건축물들이 즐비해 있다. 그래서 바다 위에 떠 있는 도시하면 자연스레 베네치아가 먼저 떠오른다. 그러다보니 유럽의 다른 운하도시에 가면, 스웨덴의 베네치아 '스톡홀름', 벨기에의 베네치아 '브뤼헤', 포르투갈의 베네치아 '아베이루'라며 베네치아에 빗대어 표현하곤 한다. 이는 베네치아라는 이름 자체에 물의 도시라는 상징성을 담고 있기에 가능한 거겠지. 즉 OO의 베네치아, 그 자체가 수식어가 된 것이다.

제 2의 베네치아라고 불리는 도시들을 가 봤지만, 역시 베네치아만한 곳이 없었다. 그건 다른 운하 도시에는 없는 특별함이 베네치아에만 있기 때문은 아닐까 싶다. 이 운하도시만이 가진 특별함은, 차가 없다는 것이다. 자동차뿐만 아니라 버스,

택시, 오토바이도 다닐 수 없다. 대신 400여개의 다리를 통과하는 수많은 형태의 배가 존재한다. 이곳의 대중교통은 수상버스와 수상택시이며, 곤돌라가 정거장마다 정박해 있고, 심지어 응급차와 경찰차도 모두 배다. 어느 집이든 건물이든 배로 승하차가 가능하게 도시가 만들어져 있는 것이다. 그래서 베네치아에는 집도, 건물도, 성당도, 광장도, 슈퍼마켓과 빵집도, 시장도 다 있지만 차만 없다. 이런 도시 구조가 가능한 이유는 베네치아가 인간의 필요에 의해 만들어진 인공의 섬이기 때문이다. 자연발생적인 섬들도 있지만, 전체 섬의 약 90%는 만들어졌다.

　초기의 베네치아는 사람이 살 수 있는 땅이 아니었다. 시작은 피신처였다. 6세기경 알프스 산맥을 넘어온 훈족들을 피해 육지에서 멀리 떨어진 석호를 발견했고, 그곳에 도시를 건설하면서 베네치아가 시작된 것으로 보고 있다. 척박한 환경 속에서도 살아갈 희망은 있다고, 베네치아는 지리적 위치를 적극 활용하기로 결심한다. 이곳이야말로 바다가 끝나는 곳이자 내륙의 시작인 곳에 자리 잡았기에 가능했다. 그래서 지리적 장점을 적극적으로 이용해 유럽과 비잔틴 제국 그리고 아시아를 연결하는 중계무역을 담당한다. 그 결과 베네치아는 지중해 무역을 독점하며 엄청난 부를 축적하게 된다. 셰익스피어의 소설 <베니스의 상인>이란 제목이 괜히 나온 것은 아니었던 것이다.

베네치아는 중계무역을 하면서 도시에 보다 많은 배가 정박할 수 있는 항구와 무역품을 보관할 건물들의 필요성을 깨닫는다. 또한 부유해진 공화국을 아름답게 꾸며줄 성당과 궁전을 짓고 싶은 열망도 강해졌다. 그래서 섬과 바다가 만나는 곳에 수많은 인공 섬들을 만들기 시작한다. 먼저, 진흙 바닥에 나무를 세우고 모래를 쌓고 그 위에 벽돌을 올려 누른다. 그러고 나서 돌을 차곡차곡 쌓아 단단한 돌바닥을 만들고 그 위에 성당, 궁전 그리고 건물들을 지어올린 것이다. 도로는 당시의 교통수단이었던 말과 마차가 지나갈 수 있을 용도로 좁게 만들어졌고, 대부분 배를 타고 운하를 이동했다. 그러다보니 건물마다 선착장이 있어 배가 쉽게 건물로 진입 할 수 있었다. 그렇게 베네치아에 은행, 거래소, 관공서, 물류창고, 그리고 숙

"

물의 도시 베네치아
운하의 도시 베네치아
가면 페스티발의 도시 베네치아
곤돌라의 도시 베네치아
수식어마저 찬란한, 그곳은 베네치아

Venezia, Italia

박업소 등이 만들어지며 중세무역의 중심지로 자리매김한다. 척박한 환경이 결국 생존의 역사를 만들어낸 것이다.

베네치아 개펄에 박혀있는 나무 말뚝만 150만개 이상이라고 하니 당시로서는 엄청난 규모의 도시 건설이었다. 그 결과, 118개의 섬들이 하나의 섬처럼 연결된 오늘날의 도시구조가 탄생하게 된다. 차는 없고 배가 다니는 물의 도시, 이것이야말로 베네치아만이 가질 수 있는 특별함이 아닐까.

문명의 전령이 되었던 도시

이탈리아 북부의 베네치아 공화국이 무역을 주도하고 있을 때, 중부의 한 공화국에서는 역사상 가장 찬란한 예술의 시대를 꽃 피우게 된다. 그 시대를 우리는 고대 그리스•로마문명의 부활이라고 쓰고, 르네상스 Renaissance라고 부른다. 그 중심에는 피렌체 공화국의 메디치 가문이 있었다. 한 시대에 한 명의 천재도 탄생하기 힘든데, 이 시대에는 수많은 천재가 태어난다. 메디치가의 후원 아래 단테, 보티첼리, 미켈란젤로, 레오나르도 다빈치 등 위대한 예술가들이 활동하게 된다. 그리고 그들은 경쟁하듯 그림을 그리고, 조각을 다듬고, 글을 쓰고, 철학을 논하며 르네상스의 황금기를 맞이했다.

르네상스가 피렌체에서만 꽃을 피운 것은 아니다. 로마, 시에나, 피사, 밀라노 등 다른 공화국에서도 수많은 예술가가 활동했다. 만약 이탈리아 곳곳에서 태동한 르네상스 사상이 그 도시에만 머물러 있었다면, 역사의 한 획을 긋지 못했을 것이다. 르네상스의 인문사상을 책으로 엮어 유럽 전역에 퍼트릴 수 있는 출판업이 뒷받침되어야 했다. 그 역할을 해줬던 곳이 바로 베네치아 공화국이었다. 활자 인쇄의 시작은 독일의 구텐베르크였지만, 인쇄업이 꽃을 피운 곳은 베네치아였다. 한때 유럽에서 출판된 책의 3분의 2를 베네치아에서 출판했을 정도로 엄청난 규모였다고 한다. 유럽 지식인들은 앞다투어 베네치아로 모였고, 그들로 인해 학문과 지식이 집대성된다. 그래서 철학, 역사뿐만 아니라 요리, 의학, 음악 등의 다양한 서적들이 출판될 수 있었던 것이다. 그리고 여러 언어로 번역된 서적들을 배에 실어 유럽 각지로 전달하며 인쇄업의 중심지로 자리 잡게 된다. 대규모의 인쇄소와 다국적 마케팅 등도 큰 역할을 했다. 그렇게 베네치아는 출판의 르네상스를 이끌게 된 것이다. 문명의 전령인 책과 함께 문화를 수출한 진정한 베네치아의 상인이었다.

베네치아 상인이 남긴 숙제

아름다운 운하의 도시, 베네치아에서는 숙명처럼 받아들이는 것이 있다. 침하와 침수다. 애초에 개펄 위에 나무기둥을 박아 만든 도시다 보니 물에 취약했다. 만조 때 도시의 일부분이 조금씩 물에 잠겨왔기에, 수해는 과거부터 발생한 고질적인 문제였다. 거기다 최근에는 1년에 2~3mm의 속도로 도시가 천천히 가라앉고 있다. 설상가상으로 몇 년 전에는 폭우로 도시의 80%가 물에 잠기는 최악의 침수를 겪기도 했다. 최악의 홍수가 끝나자, 곧 조수 저하로 수로의 바닥이 드러나는 가뭄까지 겪게 된다. 베네치아 운하의 깊이는 낮은 곳은 1m밖에 되지 않는다. 발을 헛디뎌 물에 빠져도 설 수 있는 높이다. 그러니 물의 도시에 물이 빠져나가 배가 지나다닐 수 없는 상황에 부닥친 것이다.

이탈리아의 보물과도 같은 베네치아가 가라앉게끔 가만히 두고 볼 수는 없었다. 그래서 이탈리아 정부는 바닷물을 막는 방파제를 설치하는 '모세 프로젝트'를 진행한다. 침수되는 취약 지점에 높이 3m의 방벽을 만든다. 평소에는 사용하진 않지만, 수위가 올라가면 압축 공기로 벽을 밀어 올려 바닷물의 유입을 막겠다는 아이디어였다. 이 프로젝트는 2000년대 초반에 시작되었지만, 자금난과 부정부패 스캔들로 인해 아직도 마무리되지 못했다고 한다. 만약 모세 프로젝트가 제대로 실행되었다면, 최악의 침수를 사전에 막을 수 있지 않았을까. 그러면 국가비상사태까지 선포하지 않았겠지. 또한, 베네치아의 보물 같은 문화유산들이 잠겨 훼손되는 비극도 일어나지 않았을 것이다.

서점의 의미

나의 도시가, 동네가, 집이 물에 잠긴다면 어떤 기분일까? 두 번 다시 기억하고 싶지 않은 악몽과도 같을 거다. 그런데 이곳에는 침수 역시 우리들의 이야기라며, 기억하고 기록하는 서점이 있다. 바로, 베네치아의 Libreria Acqua Alta, 침수 서점이다.

나에게 서점은 어디론가 훌쩍 떠나고 싶지만, 현실은 그렇지 못할 때 찾아가는 장소다. 서점에 가면 자연스레 여행 서적이 모여 있는 곳으로 발길을 옮겼다. 그곳에는 셀 수 없을 정도로 많은 나라와 도시에 관한 이야기로 넘쳐났다. 그래서 2평밖에 되지 않는 가판대에서 언젠가 떠날 여행에 대한 설렘을 느끼곤 했다. 서점은 현실에서 만나는 2평짜리 여행지였다. 그렇게 작고 아늑한 서점에서 작은 위로를 받으며 나 자신을 다독였다. 포근한 침대에 누워 스마트폰으로 여행 영상을 보며 대리만족할 수 있지만, 무언가 부족했다. 시각적 매혹은 딱 그 순간뿐, 그대로 스쳐 지나갔다. 그런데 책이 준 영감은 달랐다. 그 순간 느낀 감동은 그대로 뇌리에 박혔다. 그리고 그 여행지로 나를 이끌었다. 그래서였을까. 여행지에서 카페는 찾지 않아도, 서점을 찾아가는 수고로움만큼은 잊지 않았다. 자주 가던 동네 서점이 주는 안락함과 다른, 낯선 느낌이 사뭇 어색하기도 했다. 하지만 가끔은 그 묘한 낯섦이 좋았다.

다른 언어, 다른 표지, 다른 크기로 인쇄된 베스트셀러를 보는 재미도 쏠쏠했다.

아날로그 감성을 좋아했던 나도 요즘 세대처럼 변하기 시작했다. 종이책 대신 전자책을 구매해서 읽었다. 굳이 서점까지 찾아가거나, 온라인 배송을 기다리는 시간마저 귀찮았던 것이다. 아이패드 서재에 에세이, 소설, 외국어 회화책들이 차곡차곡 쌓여갈 즈음에, 이탈리아로 떠났다. 로마로 들어가 베네치아에서 나오는 일정이었다. 첫 번째 도시는 여행지의 이미지를 만들고, 마지막 도시는 여행의 만족도를 결정한다. 그래서 마지막 도시, 베네치아에서 즐길 수 있는 색다른 일정이 필요했다. 유럽에서 가장 오래된 유대 지구를 갈까 아니면 아카데미아 미술관을 갈까 고민할 때, 문득 베네치아에만 있는 그 서점이 떠올랐다. 우리에게 베네치아의 일상을 이야기해 줄 것 같은 그 서점으로 향했다.

흔적 투성이 서점

아쿠아 알타 Acqua Alta는 물의 도시 베네치아에서만 만날 수

66

빛바랜 잉크자국은
마치 서점의 흔적 같다고나 할까
누군가의 정성과 손때가 가득 묻은 책들
그 자체만으로 값지기에
다시금 서점으로 발걸음을 향하게 만들었다
소비자가 아닌 독자로 돌아갈 때이다

Venezia, Italia

있는 독특한 서점이다. 세상에서 가장 아름다운 서점 중 한 곳으로 꼽히기도 했다. 이탈리아어로 아쿠아 알타는 높은 물, 즉 만조를 의미한다. 만조 현상은 주로 겨울철에 찾아온다. 섬에 물이 차오르면 서점도 종종 물에 잠기곤 한다. 그러다 보니 책장도 일반 책장보다는 높으며, 대부분의 책은 높은 곳에 쌓여있다. '책은 책장에'라는 공식도 깨버렸다. 곤돌라와 욕조에 책이 담겨있거나 서점 가판대에 널브러져 있다. 우스갯소리지만 서점이 물에 잠기면 곤돌라 타고 서점을 유영할 수 있다고 한다.

　오래된 고문헌과 중고서적을 둘러보다 보면, 누군가의 시선이 느껴진다. 다름 아닌 고양이 두 마리다. 책을 찾는 손님들을 구경하고 있다. 그러다 지치면 책 사이에서 낮잠을 잔다. 그 모습에 홀린 듯 카메라 셔터를 누르게 된다. 서점의 고양이만큼이나 유명한 존재가 있다. 서점 구석탱이에 있는 계단이다. 단순히 오르락내리락하는 계단은 아니다. 책을 차곡차곡 쌓아 만든 책 계단이다. 잘 팔리지 않는 백과사전이나 두꺼운 양장본으로 계단을 만들었다고 한다. 바닥에 깔린 책들은 물에 젖어 낡고 색이 바래져 있다. 물에 잠긴 서점의 흔적을 고스란히 품고 있는 것이다.

Arrivederci!

침수서점은 친절하지 않다. 책을 분야별로 나눠 놓지 않았거든. 그래서 책을 쉽게 찾을 수 없다. 시간을 투자해 보물찾기하듯 잘 찾아야 했다. 서점 주인조차 그 책이 어디에 있는지 모른다. 그래서 △ 책을 찾아 헤매다, 우연히 희귀본인 ☆ 책을 발견하게 되는 경우도 허다하다. 그런 경우 득템 했다고 하지. 서점 입구에서 한창 모으고 있던 미술책 전집을 봤다. 그 시리즈 중 한 권을 사고 싶어 책 찾기에 돌입했다. 한 시간가량 찾다 보니 슬슬 짜증이 밀려왔다. 서점 주인에게 책이 어디에 있는지 물었다. 똑같은 대답이 돌아왔다. "어디 있는지는 몰라, 그런 데 있긴 있어." 포기 선언을 하려고 할 때 그 책을 발견했다. 짜릿했다. 서점과의 대결에서 내가 이긴 기분이랄까.

그토록 찾고 싶었던 책은 새것이 아니었다. 물에 젖어 군데군데 빛바랜 잉크 자국이 남아있었다. 헌책이 아니었다면 굳이 구매하지 않았을 것이다. 흔적 가득한 책을 정가에 샀다. 하자 있는 책이니 중고가로 구매해야 했다. 그런데 그러고 싶지 않았다. 물에 젖은 책을 분류하고 햇빛에 말린 노력에 대한 보상이자, 간만에 책을 찾는 재미를 알려준 대가라고 생각했다. 내 뒤로 함께 온 여행자들이 서 있었다. 잉크 자국이 있어야지 베네치아 같다며 물에 젖은 헌책들을 샀다. 그래야지 이런 책방이 오래 남아 있지 않겠냐면서. 역시, 나만 그런 생각을 하는 건 아니었나 보다. 책방지기는 콜로세움이 그려진 포스터를 선물로 줬다. 그리고 떠나는 우리에게 "Arrivederci!" 또 만나자는 인사를 건넸다.

누구에게나 자신의 흔적이 묻어있는 서점 하나쯤은 있을 것이다. 나에게도 그런 동네서점이 있었다. 여행을 활자로 읽으며, 언젠가 떠날 나를 상상하며, 그 생각만으로도 즐거웠던 서점이 떠올랐다. 아이패드 서재를 채우는 작업은 잠시 멈춰야겠다. 빠름과 편함에 익숙해져 잠시 잊고 있었던 나만의 2평짜리 여행지가 그립다. 문턱 닳도록 찾아간 그곳에, 다시 내 발자국을 남기러 가야겠다. 그리고 이젠 소비자가 아닌, 독자가 되어야지.

헬싱키 도서관의

기분 좋은 소음

날아오름의 파동

여름이 오면 생각나는 소설이 있다. 제목마저도 여름 냄새 물씬 풍기는, 토베 얀손의 '여름의 책'이다. 할머니와 손녀가 함께한 여름날의 기억을 그려낸 소설이다. 작은 것에 만족할 줄 아는 그들의 삶은 마치 한여름 밤공기처럼 청량하게 다가왔다. 가끔 위로가 필요할 때 나를 토닥여준 동화책이기도 했다. 이 책의 저자인 얀손은 핀란드 국민 캐릭터인 무민시리즈를 만든 동화작가로 더욱 유명하다. 얀센의 영향 때문일까. 핀란드 관광청이 주최한 여행박람회가 사뭇 기대되었다. 왠지 그곳엔 새하얀 눈송이 같은 무민이 있을 것만 같았거든. 역시나 기대를 저버리지 않았다. 귀여운 무민 인형이 각종 팸플릿과 함께 에코백을 나눠주고 있었다. 무민에게서 받은 핀란드 여행 정보를 읽어 내려가던 중, 흥미로운 문구를 발견했다. "가장 가까운 유럽, 핀란드!" 인천에서 헬싱키까지 9시간이면 도착하는 것이 아닌가. 다른 유럽 도시로 가는 비행시간보다 3시간 단축된 것이다. 기껏해야 3시간 줄어든다고 뭐가 다를까 싶었다. 어차피 지루하고 답답한 시간을 견뎌야 하는 건 매한가지였으니까.

운명처럼 6월의 어느 여름날 헬싱키로 떠났다. 소설 속 계절로 떠난다는 기대감이 앞섰다. 동시에 장거리 비행이 걱정되었다. 한창 하지정맥으로 고생 중이었거든. 다리 저림이 무색하게도, 비행기가 날아오를 때의 진동하는 떨림은 좋았다. 마치 여행에 들뜬 내 심장박동 같았다. 비행기가 안정 고도로 진입했다. 스크린에 도착 예정 시간이 떴다. 좌석 등받이에 꽂힌 파우치가 눈에 들어왔다. 지퍼를 여는 순간 마음에 잔잔한 감동이 일기 시작했다. 옥수수 전말이 들어있는 바이오 플라스틱 칫솔과 플라스틱병으로 재활용한 슬리퍼가 들어있었다. 지구를 살리는 친환경 아이템으로 무장한 것이다. 천으로 제작된 파우치는 디자인도 예쁘지만, 내부 구성은 더 아름다웠다.

대수롭지 않게 여길 수 있지만, 자주 실천하려고 노력하고 있는 나만의 공정여행 원칙이 있다. 지구를 지키는 제로 웨이스트 Zero Waste 운동이다. 여행에서 불필요한 쓰레기는 만들고 싶지 않았다. 그래서 기존에 사용하던 칫솔과 치약, 손수건, 텀블러, 이어폰 등을 가지고 탑승했다. 항공사에서 제공하는 일회용품을 사용하지 않았다. 비행기 탑승으로 발생하는 플라스틱 쓰레기를 조금이라도 줄이고 싶었다. 그런데 핀에어가 지구를 생각하는 비행을 한다니 이토록 매력적일 수가 없었다. 핀란드 국적기가 추구하는 가치에 취향 저격당한 것이다.

요상한 도시 헬싱키

길모퉁이를 돌 때마다 보이는 도시의 풍경은 아직도 잊히지 않는다. 칙칙하고 어두운 사회주의 느낌이 물씬 풍길 거란 예상은 완전히 빗나갔다. 이토록 현대적일 수가. 한발 앞서간 미래도시의 모습 같기도 했다. 뉴욕, 시드니, 싱가포르의 현대적 세련미와는 다르다. 최첨단 도시라고 하면 떠오르는 고층 빌딩의 군집이 아니었다. 헬싱키는 공간과 디자인만으로도 미래도시 설계가 가능하다는 것을 보여주고 있었다. 아모스 렉스 미술관과 언덕 놀이터, 키아즈마 현대미술관, 깜삐 예배당으로 이루어진 도시의 디자인은 가히 놀라웠다. 도시의 예술적 가치는 물론이거니와 자연을 디자인한 공간 설계가 돋보였다. 세계 디자인 수도로 거듭난 헬싱키는 도시 자체가 디자인

박물관이 된 것이다.

핀란드인의 자부심 가득한 애칭

미술관 창밖으로 언뜻 보였던 건축물 하나가 유독 시선을 끌었다. 도심에 떠 있는 거대한 배처럼 보였다. 야외 테라스에서 커피를 마시며 노닐던 사람들의 모습에 호기심이 일었다. 그 건물이 있던 방향으로 향했다. 그곳엔 책을 읽는 공간이 있었다. 그 공간에 발을 디디는 순간 헬싱키가 천국이 되는 마법이 일어난다. 그곳의 이름은, 오디 Oodi 도서관이다.

오디도서관은 2018년에 맞춰 개관을 준비했다고 한다. 왜 하필 2018년이어야 했을까. 아니, 그때일 수밖에 없는 거다. 2018년은 핀란드가 러시아로부터 독립을 쟁취한 지 100주년 되는 해였기 때문이다. 결코, 잊어서는 안 되는 역사의 한 길목이었다. 그래서 오디는 자유와 평등을 바라온 국민을 위해 국가가 준비한 독립 100주년 공공프로젝트인 셈이다. 이 기념비적인 선물은 준비 기간만 무려 20여 년이 걸렸다고 한다. 국가에서 추진한 프로젝트지만, 국가가 모든 것을 주도하지 않

66

미래의 나를 상상하면 무섭다
스마트해지는 세상을 따라 잡지 못할까봐
두렵기도, 조급하기도 하다
그런데 그곳이 헬싱키라면 다가올 미래를
슬기롭게 준비해 볼 수 있지 않을까
차근차근 나의 속도에 맞춰서

Helsinki, Finland

앉기 때문이다. 시민들의 의견을 반영해 오랫동안 준비한 공공참여 프로젝트였다. 도서관의 명칭도, 도서관 예산도, 도서관 설계에도 모두의 의견을 반영한 것이다. 그래서 국가와 시민이 받은 백 살 생일선물이란 애칭이 탄생할 수 있었겠지.

공유의 공간, 모두의 공간

오디는 책만 읽는 도서관이 아니다. 오디는 모두에 의한, 모든 것을 위한 공간을 지향하고 있다. 그건 팸플릿 뒷면에 쓰여 있는 문구만 봐도 알 수 있다. "Oodi is for of us; 오디는 우리 모두를 위해" 그래서 마치 헬싱키의 거실 같기도 하다.

3층의 도서관은 층마다 성격이 다르다. 그런데 또 하나같다. 건물을 연결하는 나선형 계단이 보인다. 바티칸 박물관의 층계를 연결한 주세페 모모의 나선형 계단이 떠올랐다. 도서관의 나선형 계단은 독립된 각 층을 마치 하나로 연결된 공간처럼 보이게 했다. 모두의 공간에는 화장실도 포함되어 있었다. 사람 키에 맞춰 제각각의 높이로 디자인된 세면대에 시선이 꽂혔다. 단순히 성인과 아동을 구분 짓지 않은 점이 인상적이었다. 그러다 화장실 칸을 밝히는 LED 센서가 눈에 띄었다. 빈칸 여부를 알려줬다. 한 칸의 센서가 꺼졌다. 남자가 나왔다. 성별과 나이 구분 하지 않는, 모두의 화장실이었다. 핀란드의 남녀혼탕 사우나를 미리 경험한 기분이었다. 오디 도서관에서 더는 놀랄 것도 없겠다 생각했다. 위층의 미래공간을 엿보기 전까지는.

2층은 스마트한 공간이 만든 또 다른 세상 같았다. 3D 프린터, 가상현실(VR), 음악 영상 제작 스튜디오, 재봉틀이 늘어선 복도, 게임방 등 최신 기술 장비로 가득했다. 누군가는 재봉틀로 식탁보를 만들고 있고, 누군가는 3D 프린터로 본인 키만한 그림을 인쇄하고 있다. 이곳은 세대를 구분하지 않았다. 누구든지 원한다면 디지털기기를 사용할 수 있다. 이 스마트한 공간을 모든 세대가 일상처럼 공유하고 있는 것이다.

'이러다 정말 로봇도 보는 거 아니야?' 라는 나의 예상은 3층에 올라서자마자 적중했다. 낮은 책장 사이를 휘젓고 돌아다니는 자율주행 로봇 사서가 있는 게 아닌가! 그것도 귀여운 왕눈이 스티커를 붙인 채 말이다. 심지어 자율주행에다 '타투,

파투, 비라.'라는 이름까지 있단다. 물론 시민들의 의견을 반영해 붙여진 이름이다. 역시나 시민들이 함께 만들어가고 있는 현재진행형 도서관다웠다. 귀여운 로봇 사서는 쉴 새 없이 돌아다닌다. 똑똑한 로봇 사서도 못하는 것이 하나 있다. 바로 숨바꼭질이다. 낮은 책장 때문에, 이곳저곳을 활보하는 로봇 사서의 위치는 어디서든 파악할 수 있다. 어른 키보다 낮은 책장은 도서관 특유의 답답함을 벗어나, 자유로운 분위기를 자아내고 있었다.

  2층이 신비한 디지털 공간이었다면, 3층은 자연 친화적인 공간이었다. 3층 서가는 다른 층과 달리 공간을 구획화하지 않았다. 운동장처럼 넓은 공간이지만, 오히려 아늑하게만 느껴진다. 그건 나무의 적절한 쓰임 덕분이 아닐까 싶다. 발 디디는 공간은 모두 나무로 만들어졌다. 나무 바닥은 기울기도 서로 다르다. 심지어 천장도 우아한 곡선 형태를 취하고 있다. 이 공간에는 모서리가 없다. 그래서 마치 숲 속을 유영하는 듯 안락함이 느껴졌다. 천장의 부드러운 곡선의 흐름을 따라가다 보면, 군데군데 나 있는 둥근 채광창이 눈에 띄었다. 살아

있는 조명이 되어 이 공간으로 햇빛을 보내준다. 그 자연조명은 초록빛 나무화분을 자라게 한다. 나무 바닥, 그 위의 초록빛 나무, 그 생명체를 비춰주는 햇빛이 완벽한 하모니를 이룬다. 자연이 살아 숨 쉴 것만 같은 근사한 공간이다. 빛과 나무향 가득한 이 멋진 공간을 채워주는 또 다른 존재가 들려왔다. 시끌벅적한 소음이었다.

소음이 곧 미래

도서관은 정적인 공간이다. 독서에 방해되면 안 되기에 소음을 내지 않는다. 그건 한국뿐만 아니라 대부분의 나라에서 통용되는 암묵적인 질서다. 그런데 오디도서관은 정적인 긴장감을 깨뜨렸다. 그리고 질문을 던진다. 도서관이 단순히 책을 보관하고 대여해주는 공간이어야 해? 도서관에서 아이들은 놀이터에 온 것처럼 뛰어다녔고 부모님과 함께 책을 읽으며 웃고 떠들었다. 기존 도서관의 침묵을 깨는 소음 가득한 도서관인 것이다. 도서관에서의 소음이 익숙하지 않았기에 낯설고 불편한 감정이 들었다. 그러다 문득 그런 생각을 하고 있던 편견 가득한 나를 발견했다. 모든 세대가 함께 공유하는 공간으로서의 도서관을 마주했다. 유모차를 세워두는 공간이 보였다. 아이들의 출입을 통제하던 한국의 수많은 노키즈존이 떠올랐다. 무의식 속에서 무수히 자행된 선 긋기를 당연시 여겼다. 어른들이 만든 상식이라는 잣대를 가지고 아이들의 행동을 제약했던 것이다. 개념 있는 척했던 내가 부끄러웠다.

읽던 책을 덮었다. 이 공간을 함께 공유하고 있는 사람들을 관찰했다. 어른과 아이가 소통하는 모습을 보며, 왜 오디도서관을 미래도서관이라 부르는지 알 것 같았다. 디지털 기기를 통한 스마트한 혁신이 아니었다. 이곳은 책을 읽는 공간이며, 놀이터이며, 그리고 배움의 공간이었다. 그런 공간을 공유하고, 로봇 사서와 소통하는 방법을 배우는 아이들이 있었기에 이곳을 미래도서관이라 불렀던 것이다. 그들이 곧 4차 산업혁명 시대를 이끌어갈 핀란드의 미래가 될 것이기에, 다가올 핀란드의 눈부신 미래가 부러웠다. 눈과 얼음으로 뒤덮인 창문을 열고 야외 테라스로 나갔다. 국회의사당이 정면에 보였다. 3층 테라스는 국회의사당의 출입문 높이에 맞춰 설계했다고 한다. 배움이 정치만큼 중요하다는 핀란드인의 사회적 인식을 나타내고 있었다. 그래서 도서관 이용률 1위, 독해력 세계 1위, 독서율 최상위 국가라는 타이틀을 거머쥘 수 있었겠지. 이 도서관 덕분에, 헬싱키가 아주 오래도록 기억에 남을 것 같다.

그들만의 방식,

상트페테르부르크니까

Republic of Korea, South 입니다만

"What is your Nationality?"

언제나 아리송했다. 해외 사이트에서 항공권이나 티켓을 구매할 때, 개인정보와 함께 국적을 기재해야 한다. 그때마다 헷갈렸다. 어떤 곳은 대한민국을 Republic of Korea로, 또 다른 곳은 South Korea라고 표기하기 때문이다. 그러다 보니 국적을 찾을 때마다 알파벳순으로 대한민국을 찾곤 했다. 공식적으로 대한민국의 명칭은 Republic of Korea다. 그런데 외국에서는 코리아를 남한과 북한으로 알고 있는 경우가 많다. 그래서 해외 사이트마다 대한민국의 영어표기가 제각기 다른 것이다.

누군가 국적을 물을 때마다, 희한하게도 South Korea라고 대답한 적이 거의 없다. 대한민국이 아닌 남한이라고 말하는 순간, 코리아가 분단국가라는 것을 실감했기 때문이다. 그리고 일상에서든 뉴스에서든 대한민국을 언급할 때, "우리 대한민국이~" 라고 하지 "우리 남한이~" 라고 하지 않잖아? 그러니 내 대답도 리퍼블릭 오브 코리아일 수밖에. 그런데 내가 그토록 자신 있게 불렀던 대한민국의 명칭이 터무니없는 오해로 이어질 거라곤 상상도 못 했다. 그곳은 헬싱키에서 상트페테르부르크로 넘어가는 기차 안에서였다. 잘못했다간 러시아 사전답사도 하지 못하고 쫓겨날 뻔했다.

  핀란드와 러시아의 국경 어느 지점에서 기차가 잠시 멈췄다. 그때부터 러시아 검표원의 여권심사가 시작되었다. 공무원보다는 경찰 느낌이 강했다. 공항에서 입국심사를 하듯이 기차 탑승권과 여권을 함께 제시했다. 그런데 그분은 유독 나에게만 까다롭게 굴었다. 여권 사진과 얼굴을 비교하며 머리를 뒤로 넘겨 귀를 보이라고 하지를 않나, 방문했던 국가들에 무슨 비자로 갔는지 묻지를 않나, 미국엔 무슨 사유로 입국했는지 등에 대한 이상한 질문공세를 퍼부었다. 마치 나를 불법체류자인 거처럼 몰아붙이는 말투에 화가 치솟았지만, 참았다. 여긴 러시아고 나는 쫄보니까. 대신 러시아 여행을 위해 준비한 항공권, 호텔, 기차, 공연 등의 각종 바우처를 죄다 꺼내 보여줬다. 그리고 모스크바에서 여행을 끝내고 서울로 돌아갈 거라고 말하자, 그제야 깜짝 놀라 묻는 것이다. "너 사우스야?"

알고 보니 그 검표원은 여권에 적힌 Republic of Korea만 보고 나를 북한사람 또는 조선족으로 오해한 것이다. 나중에 야 알게 된 사실이지만 북한은 여권에 Democratic People's Republic of Korea라고 표기되어 있었다. 그 검표원은 내 여권에 찍혀있는 수많은 국가의 출입국 도장을 보고 이상하게 여긴 것이다. 나를 북쪽 사람이라고 착각했는지 아니면 일부러 그런 건지 알 순 없다. 아무리 러시아에 북한 사람이 체류한다고 해도 말이지. 북한 여권으로 핀란드로 입국해서 러시아로 넘어갈 수 있느냐고 따지고 싶었지만, 또 참았다. 여긴 러시아고, 나는 쫄보니까. 결국, 리퍼블릭 오브 코리아, 사우스에 사는 서울사람임을 증명함으로써 기차 안에서의 짧은 실랑이는 끝났다. 이제부터 누군가 국적을 물어본다면, "Republic of Korea, South, and Seoul"이라고 상세하게 알려줘야겠다고 다짐했다. 그런 나의 다짐이 무색하게도, 상트페테르부르크에서는 그럴 필요조차 없었다. 거리에는 방탄소년단 팬클럽의 이름이 적힌 티셔츠를 입은 수많은 젊은이가 있었거든.

러시아인을 닮은 러시아 미술

8월의 상트페테르부르크는 청명했다. 맑은 날씨에 기분 좋은 여행자와 달리, 그 도시에 사는 사람들의 표정은 글쎄다. 아무 이유 없이 미소 짓지 않겠다는 냉랭한 얼굴이었다. 그래서 거리를 걷다 보면, 누가 외국인인지 누가 러시아인인지 구별이 될 정도였다. 억지 미소 짓지 않을 자유, 좋다. 가식적으로 웃는 것보다 훨씬 인간적이니까. 러시아인의 인간적임과는 달리, 도시 자체는 오색찬란했다. 반짝이는 금장과 파스텔 색감으로 가득한 도시의 화사한 분위기에 마음이 들떴다. 주저 없이 상트페테르부르크를 대표하는 에르미타쥐 박물관으로 향했다. 러시아 면적만큼이나 박물관의 규모는 엄청났고, 그만큼 입장 줄도 끝이 보이지 않을 정도로 길었다. 저 줄은 못해도 2시간은 대기해야 했다. 도저히 기다릴 자신이 없었다. 결국, 구글 맵으로 주변에 갈 만한 다른 미술관을 검색했다. 그렇게 얻어걸린 곳이 바로 러시아 국립 미술관이었다.

러시아 미술관은 한적했다. 오롯이 회화에 집중할 수 있어서 좋았다. 여느 미술관이 그러하듯 시대순으로 전시된 회화와 조각을 정처 없이 관람하고 있었다. 그러다 어느 순간 묘한 느낌이 들었다. 뭔가를 놓치고 있는 기분이었다. 그게 뭘까. 알 수 없는 발걸음으로 전시실을 배회했다. 그러다 한 작품이 눈에 들어왔다. 걸음이 멈췄고, 시선이 꽂혔다. 충격적일 만큼 강렬했다. 한 척의 배를 끄는 10명의 뱃사공의 모습을 홀린 듯 바라봤다. 정체불명의 에너지가 마구 뻗쳐 나와 나를 압도한 그 작품은, 일리야 레핀의 〈볼가강의 바지선을 끄는 인부들〉이었다.

살아가야하는 것들

누군가는 햇살 좋은 날 강가에 누워 부채를 부치는 아름다운 귀족 여인을 그리는가 하면, 다른 누군가는 뒤에서 허름한 옷을 입고 일하는 뱃사공에 시선을 뺏기기도 한다. 레핀은 후자였다. 그래서 무거운 삶의 무게를 지고 살아가는 뱃사공, 즉 민중을 그림에 담았다. 뱃사공의 행색은 남루하나, 무거운 배를 끌며 노동하는 그들의 모습에서 강인한 삶이 보였다. 강인한 삶…. 그건 노동의 신성함일 수도 있다. 하지만 레핀은 거

66

걸음이 멈췄고, 시선이 꽂혔다
홀린 듯 그 작품을 바라봤다
다시 그의 자취를 밟아보고 싶다
러시아가 좋아질 이유를 또 찾지 않을까 하는
막연한 기대감과 함께

Saint Petersburg, Russia

기서 끝내지 않았다. 그 삶을 살아가는 민중의 울분, 무기력, 짜증, 체념을 포착해낸다. 민중은 자신이 처한 환경에 분노하지만, 그럼에도 일한다. 세상에 대한 분노로 가득하지만, 결국 이겨내고 살아가기에 그들의 삶이 강인한 것이라고 이야기하는 것만 같았다. 레핀은 그렇게 그만의 방식으로 현시대의 사회상을 그려낸 것이다.

기 빨리는 그림

상트페테르부르크의 화려함에 속아 잠시 잊고 있었다. 러시아가 소비에트 연방이었던 과거를. 그리고 내게 묘한 느낌을 준 전시실이 그 시절에 그려진 작품들로 연결되어 있다는 사실을. 그리고 레핀의 그림을 보면서, 그제야 내가 놓친 부분을 알아차렸다. 그건, 그림에 등장하는 인물이었다. 그 당시 대부분 작품에는 황제와 귀족, 부르주아와 같은 특권층이 그려졌다. 화가에게 작품을 의뢰하려면 엄청난 액수를 지급해야만 하는 시대였으니까. 그들이 그려지는 것을 당연시 여겼다. 그런데 레핀은 달랐다. 밧줄로 배를 끄는 뱃사공을 담아냈고,

농사일에 몰두하는 톨스토이를 그려냈고, 유형지에서 돌아온 혁명가의 모습을 담담하게 표현했다. 레핀은 인물의 심리묘사에 자신의 재능을 모조리 쏟아 부었다. 그래서 그의 작품이 뿜어내는 에너지가 어마어마했던 것이다. 그의 그림을 보고 나면 다른 그림들은 더는 눈에 들어오지 않을 정도로 말이다.

그만의 시선, 그만의 표현, 그만의 방식

레핀이 활동했던 그 당시, 유럽에서는 한창 인상주의 바람이 불고 있었다. 그 중심에는 파리가 있었다. 수많은 예술가가 파리로 모였고, 그림을 그렸다. 레핀 역시 파리로 유학을 떠났다. 그곳에서 빛의 묘사를 연구하는 인상주의 미술을 접한다. 더 많은 것을 보고 느끼고 배우길 원했던 그였지만, 레핀은 돌연 귀국한다. 아마도 레핀이 추구하는 미술과 결이 다르다는 것을 깨달은 것은 아닐까. 그에게 중요했던 것은 빛의 표현이 아닌, 시대와 민중의 삶을 사실적으로 담아내는 눈이었다. 레핀은 러시아에서 자신만의 노선을 걷기로 다짐한다. 자신이 본 것을 그대로 그려내는 것. 그래서 그만의 시선으로 인물을 포착하고, 그만의 화법으로 심리를 묘사하고, 그만의 방식으로 시대를 고발해 나갔다. 그것도 담담하게. 그렇게 레핀은 러시아 미술의 한 장르가 된 것이다. 시대를 이야기해주는 작품, 그것을 그려낸 작가, 이것만큼 근사한 것이 어디 있을까.

길 위에서 만난

베르베르인

별 보러 떠난 모로코

 누구에게나 자신만의 버킷리스트가 있다. 메모장을 가득 채울 정도로 욕심 가득했던 내 버킷리스트의 1번이 있었다.

#Bucket List

1. 사하라 사막에 누워 쏟아지는 별 보기

 반짝반짝 빛나는 별 하늘이 보고 싶어 모로코로 떠났고, 그렇게 나의 첫 아프리카 여행은 모로코에서 시작되었다. 유럽과 가까이 있지만 유럽과는 다른, 그렇다고 아프리카라고 하기엔 아랍스러운 정체불명의 나라가 모로코였다. 어쩌면 모로코 여행의 시작이 마라케시여서 더 그렇게 느낀 걸 수도 있다. 한낮의 뜨거운 태양 빛을 받으며 찾아간 마조렐 정원은 마치 메마른 도시의 유일한 오아시스 같았다. 야자수 나무를 따라 작은 연못들이 즐비해 있고 그 위를 유영하는 연꽃들과 함께 흐르는 물소리를 듣고 있노라면 평온함이 찾아온다. 빌라 오아시스와 이브 생로랑의 패션 박물관을 보고 있으면, 세련된 이질감이 느껴지기도 했다. 그러다 해가 지고 어둠이 찾아오면 열리는 야시장의 혼란스러움은 모로코 그 자체였다. 제마엘프나 광장에서 비로소 모로코를 느꼈다. 그 도시를 알고 싶다면 시장부터 가야 한다는 말이 있듯이, 야시장은 눈을 뗄 수 없을 정도로 휘황찬란했다. 엄청난 규모의 먹거리들과 전통악기에 맞춰 춤을 추는 거리의 공연가까지 만날 수 있었다. 이토록 이질적인 낮과 밤이라니! 벌써 모로코의 매력에 잠식당해버린 것만 같았다. 흥정하는 재미에 빠져 시간 가는 줄 모르고 구경하다 보니, 어느덧 시계는 새벽 2시를 향해 있었다. 야심한 밤에 어렵게 택시를 잡아탔건만, 택시는 숙소가 있는 메디나 안으로 들어갈 수 없었다. 결국, 숙소에서 한참 떨어진 곳에서 내렸다. 희미한 가로등 불에 의존해 미로 같은 메디나를 돌고 돌아 숙소에 도착했고, 더 미로 같은 숙소에서 방을 찾다가 그렇게 아침을 맞이했다.

　모로코에서 머물렀던 호텔은 전통숙소인 리아드였다. 리아드는 구시가지의 꼬불꼬불한 메디나 안에 자리 잡고 있으며 건물 구조도 미로처럼 독특했다. 엘리베이터도 없는 오래된 숙소지만, 리아드에서의 숙박은 색다른 경험을 선사했다. 그뿐만 아니라 구시가지인 메디나는 구글이 통하지 않는 곳이다. 한 번도 틀린 적 없는 구글 맵이 메디나에서는 먹히지 않았다. 차라리 집집이 붙어있는 번호판을 보고 찾아가거나 지나가면서 본 건물의 특징을 잡는 편이 훨씬 빨랐다. 불편함을 감수하면서까지 여행자들이 리아드를 선택하는 건, 모로코인의 삶을 잠시나마 엿볼 수 있기 때문은 아닐까 싶다.

거의 뜬눈으로 밤을 지새우고 새벽 일찍 일어나 짐을 꾸렸다. 아침 8시에 출발하는 메르주가행 버스를 타기 위해서였다. 하루에 한 번만 있는 버스는 이미 만석이었다. 어디 그것뿐이겠는가. 아틀라스 산맥의 꼬불꼬불한 도로를 통과하면서 전 세계인들의 토 냄새를 맡을 수 있으며, 그 상태로 15시간을 함께 이동해야 했다. '지옥행 버스'라고 괜히 불리는 게 아니었다. 그러다 인내심의 한계가 올 때쯤 메르주가에 도착했다. 어느새 어두컴컴한 저녁이 되어 있었다. 마을에 딱 하나뿐일 거 같은 정류장에는 사람들로 인산인해였다. 장거리 이동으로 지친 여행자들과 그들을 마중 나온 숙소 직원들의 소란스러움이 느껴졌다. "알리! 알리!" 시끄러운 와중에 예약한 숙소 이름을 외치는 목소리가 들렸다. 직원에게 명단 체크를 하고 주변을 보니 다른 여행자들이 있었다. 한국 여행자들 사이에서 유명한 사하라 숙소라고 하더니, 역시나 세계 일주 중인 여행자들이 많았다. 다들 지친 상태지만 서먹하게나마 인사를 나누며 숙소로 이동했다.

다음날은 아침부터 분주했다. 사막 민족이라 불리는 베르베르인들과 함께 사하라 사막 캠프장으로 향했다. 밤이 오기 전에 모래 썰매도 타고, 붉은 모래 위에서 사진도 찍고, 박하 차도 마시며 들뜬 마음으로 저녁이 오기를 기다렸다. 하지만 별 보러 온 나의 바람은 무색하게도 그 날 전례 없는 모래 폭풍이 불었다. 가만히 서 있는 것조차 힘들 정도였다. 모래바람으로 전신 마사지를 받으며 사막에서의 밤을 보냈다. 별은 보지 못했지만, 아쉽지 않았다. 사막에서 별 보는 날보다 더 어렵다는 모래바람을 맞는 행운을 누렸으니까.

베르베르인들은 다음에 또 오라는 알라신의 뜻이라며, "인샬라" 위로를 건넸다. 웃으며 고맙다고 했지만, 오늘이 내 인생 마지막 사하라일 거라고 속으로 다짐했다. 두 번 다시 저 지옥행 버스는 타고 싶지 않았으니까. 하지만 알라신은 무교인 나에게도 축복을 내려줬던 것일까. 마지막이라고 믿었던 사하라 사막을 몇 년 뒤에 다시 걷게 되었으니까. 그것도 첫 번째 여행과는 비교할 수 없는 벅찬 감동을 받은 채 말이다. 그 감동은 선사해준 건, 다름 아닌 한 명의 모로코인이었다.

친절한 압둘씨

몇 년 만에 다시 찾은 모로코는 여전했다. 그때 그 모습 그대로였다. 변한 건 내 역할뿐. 뭣 모르던 여행자는 공정여행 기획자가 되어 영어통역과 현지 일정을 진행하게 되었다. 출발 전부터 영어통역에 대한 압박감이 목을 죄어왔다. 또 한편으론 모로코인 가이드와의 만남이 설레기도 했다. 복잡 미묘한 감정을 한 아름 짊어지고 모로코로 떠났다. 그리고 카사블랑카 공항에서 우리를 반갑게 맞아주는 모로코 가이드 압둘을 만났다.

첫 만남에 어울릴법한 어색한 자기소개 시간이 주어졌다. 압둘은 아랍어와 영어, 불어, 그리고 스페인어까지 구사하는 언어 능력자였다. 그래도 나름 국가공인 관광통역사인데, 영어만큼은 자신 있었다. 그런데 압둘과 대화를 하면 할수록 난감했다. 아랍 특유의 영어 발음은 예상치 못한 복병이었다. 자칫 잘못하다 커뮤니케이션상의 오해가 생길 수 있었기에, 중요한 내용은 메신저로 정확히 전달하기로 했다. 그렇게 압둘이 말하는 영어를 듣고, 압둘이 써준 영어를 읽었다. 서로의 영어에 적응했고, 대화의 폭은 넓어졌으며, 압둘이 자부심 강한 모로코 가이드라는 것도 알게 되었다. 압둘은 마치 돌처럼 단단했다. 그 단단함은 조국에 대한 자부심과 사랑에서 나왔다. 그의 설명을 듣고 있노라면, 과거의 나를 반성케 했다. 외국 친구들에게 우리의 문화를 자신 있게 소개하지 못했던 그때의 내가 부끄러웠다. 그래서였을까. 압둘이 설명하는 모로코 이야기는 멋있었고, 재미있었으며, 너무 아름다웠다. 그리고 그 아름다운 길을 안내해준 또 다른 동행이 있다. 존재만으로도 듬직한 차량 기사이자 압둘의 친구인 파렐이었다.

모로코 속의 모로코

사하라 사막으로 이동하는 길목에서 잠시 멈췄다. 선인장도 숨을 헐떡일 것만 같이 뜨거웠다. 그런 곳에 마을이 있었다. 사하라에는 메마른 모래만 있는 것이 아니었나 보다. 그 척박한 땅 위에서 삶을 일구어 살아가는 사막 마을도 있었다. 빛이란 빛은 모조리 차단한 어두운 터널이 이어졌다. 여태껏 보아온 모로코 도시와는 완전히 다른 모습이었다. 마을 위를 전부 지붕으로 덮어버린 독특한 구조였다. 그곳에서 점심을 먹었다. 식사는 대게 이동하는 길목에 있는 마을에서 해결했다. 다양한 지역 요리를 맛보는 재미가 쏠쏠했다. 그때마다 쓰는 우리의 소비가 마을 공동체에 작게나마 보탬이 되길 바랐다.

마을 구경을 하고 싶던 찰나에 압둘이 한 청년을 소개해줬다. "시간이 된다면 마을을 소개해 드려도 될까요? 작은 박물관이 있습니다. 그곳에서 마을의 역사와 사람들의 이야기를 들려드리고 싶어요." 놀랍게도 완벽한 영어를 구사하고 있었다. 그 청년은 자칭 마을의 공식 영어가이드였다. 압둘이 아닌 또 다른 모로코인의 가이드를 받으며 박물관으로 향했다. 사

실 독특한 형태로 설계된 건물들이 궁금하기도 했고, 이렇게
작고 폐쇄적인 마을에 박물관이 있다는 것이 놀랍기도 했다.
청년은 자기 민족을 소개하며 투어를 시작했다.

"모로코에는 아랍인, 아프리카인 그리고 베르베르라고 불리
는 민족이 살고 있습니다. 베르베르족은 모로코 인구의 40%
를 차지하고 있고, 그들만의 언어를 사용합니다. 이들은 수천
년 전부터 모로코의 아틀라스 산맥과 사하라 지역에 정착해
살아왔죠. 이 마을의 뿌리 역시 베르베르족으로부터 시작되
었고, 저 역시 베르베르인의 후손입니다. 베르베르인들은 사
막 위를 떠도는 유목민이었습니다. 하지만 지금은 이렇게 가
옥 촌을 형성해서 그들만의 전통을 이어가고 있죠. 황량한 대
지 위에 붉은 황토집들이 옹기종기 붙어있고 그 위를 지붕들
이 전부 덮고 있는 독특한 형태를 취하고 있어요. 심지어 마을
은 전부 점토로 지어졌습니다. 그런데 지금까지 버텨온 것은
비가 내리지 않는 기후 덕분입니다. 뜨거운 사막에서 살아가
면서 터득한 선조들의 지혜이기도 합니다. 그래서 45도가 넘
는 한여름에도 마을 내부로 들어오면 시원합니다. 심지어 질

레바로 몸을 다 가려도 끄떡없죠. 베르베르인의 삶의 터전은 사막이다 보니, 유목민의 삶이 몸에 익숙한 민족이죠. 물이 귀한 사막에서 소량의 물을 넣어도 훌륭한 요리를 만들 수 있는 냄비인 '타진'도 베르베르인의 것입니다. 또한, 이곳 공예박물관에는 베르베르 전통 방식으로 염색한 천으로 공예품을 만드는 모습도 직접 보실 수 있죠."

  박물관에는 유목민의 농기구와 각종 도구, 물품들이 전시되어 있었다. 그리고 마을 여인들이 직접 자수를 놓으며 목도리와 카펫 등을 만들고 있기도 했다. 히잡으로 얼굴을 가려 커다란 눈망울만 내놓고 있었는데, 낯선 이방인에 대한 경계심과 함께 호기심 가득한 시선이 느껴졌다. 그러다 수줍게 다가와 자신들이 만들고 있던 수공예품을 소개해줬다. 마을에 잠시 들리는 외국인들에게 카펫과 목도리를 판매하면서 소일거리를 하는 듯했다. 고무줄 위에 걸려있는 색색의 원단을 구경하다 벽에 붙어져 있던 종이에 눈길이 갔다. 원자재, 염색약, 노동비 등을 상세히 기재한 가격표였다. 공정거래 원칙을 준수한 것이 아닌가. 황량한 대지에 새워진 작은 마을에서조차

폭리를 취하지 않고, 생산품의 가치를 공정하게 매겨 판매하는 그들의 자세에 놀라움을 감출 수 없었다.

뜨개질하는 여인들의 모습에 매료당해, 베르베르인의 카펫을 색깔별로 구매했다. 시장에서 중국산 마그네틱을 사는 대신, 나름의 가치 있는 소비를 했다며 스스로 합리화하면서 말이다. 희한하게도 모로코에서 구매한 물건들은 이상한 힘을 지닌다. 램프, 접시, 자기, 카펫 등 무엇이든지 색감이 진하다. 모로코의 문화와 개성이 그 색감만큼이나 깊이 있게 다가온다. 그 자리가 어디든, 문화를 지키고 전통을 이어가는 사람들이 있었다. 그런 모로코인들이 있기에 이런 색깔을 만들어 낼 수 있는 것은 아닐까.

일일 가이드를 해준 청년의 이름은 알리. 알리는 독학으로 영어를 공부해 마을 투어를 해줄 정도로 똑똑한 친구였다. 짧은 만남이었지만 알리에게서는 자신의 뿌리인 베르베르족에 대한 존경심과 마을에 대한 애정이 고스란히 느껴졌다. 아쉬움 가득한 채 발길을 돌리며, 영어가 아닌 아랍어로 고마움을 표현했다.

"슈크란"

"제가 해야 할 일을 했을 뿐이니 고마워하지 마세요."

헤어짐마저도 멋있는 모로코인이었다.

역시나 마지막 인사는 "인샬라"

알라신의 뜻대로!

고귀한 사막 민족

사하라 사막의 마지막 관문인 메르주가에 도착했다. 베이스 캠프에서 우리를 기다리고 있던 또 다른 가이드를 만났다. 사막 유목민인 베르베르족이었다. 밟기만 해도 신발이 푹푹 빠지는 모래 위를 마치 피겨선수처럼 자유롭게 날아다녔다. 낙타 똥을 보고 사막의 초콜릿이라고 말하는 순수한 웃음마저 좋았다. 이번엔 베르베르인의 안내를 받으며 사하라 사막 캠프장으로 향했다.

모래언덕을 하나둘 넘어갈수록 사하라는 제 모습을 유감없이 드러냈다. 노을이 지는 순간 붉은빛을 머금은 사구가 끝없이 펼쳐졌다. 물결치듯 출렁이는 사하라 사막 위를 걷다 보면 어느 순간 방향감각은 사라진다. 그때 베르베르인들은 노을 지는 사막을 감상하라며 가장 높은 사구로 우리를 안내했다. 광활한 사막 위에 앉아 노을과 마주하는 그 순간, 사하라 사막은 또 다른 모습으로 나를 흔들었다. 감동적이었다. 믿을 수 없을 만큼 아름다웠다.

  배낭여행 때, 모래 폭풍을 맞아 제대로 보지 못했던 사하라의 진짜 모습을 한동안 넋을 놓고 바라봤다. 멍해 있던 나를 깨운 건 베르베르인의 외침이었다. 어둠이 찾아오기 전에 베이스캠프에 도착해야 했다. 해가 지자 사막은 순식간에 암흑으로 변했다. 뜨겁게 달궈진 모래조차 차가워지기 시작할 때즘 캠프장에 도착했다. 베르베르인들은 분주히 움직였다. 램프 조명을 켜고 화로에 불을 붙여 식사 준비에 한창이었다. 그때 꼬깔콘처럼 생긴 냄비를 들고 가는 베르베르인을 발견했다. 그를 따라 화로 옆에 착석했다. 타진에 각종 채소와 고기를 채우고 소량의 물만 넣었음에도, 수분감 가득한 촉촉한 치킨 타진이 완성되었다. 사막에서 이토록 맛있는 타진이라니. 설탕 가득 넣은 달달한 박하 차까지 마시니 이곳이 천국

66

사막이 찬란한 빛을 내는 건
사막이 주는 만큼만 받고 더 이상 욕심내지 않는
이마지겐이 살아가기 때문이 아닐까
그들로 인해 밤하늘의 별이 반짝일 수 있겠지

Sahara, Morocco

처럼 느껴졌다.

완전한 어둠이 찾아오자, 여행자들은 별구경 하러 높은 사구를 찾아 떠났다. 굳이 별을 찾아 헤매고 싶지 않았다. 사막 민족이 연주하는 악기 소리가 어렴풋이 들렸다. 그들과 멀지 않은 곳에 양탄자를 깔고 누워 쏟아지는 별을 바라봤다. 마치 큰 별 하나가 크게 기침한 것만 같았다. 그래서 수만 개의 별이 차곡차곡 늘어나 하늘을 점령한 것처럼 보였다. 그 별들을 하염없이 바라보다 스르르 잠이 들었다. 일어나니 해가 뜨기 바로 직전이었다. 어쩌다 보니 사막에서 노숙한 꼴이 되었다. 모래 언덕 위로 솟아오르는 일출은 비현실적으로 아름다웠다. 어젯밤의 어둠이 무색하듯 태양은 뜨겁게 떠올랐다.

전등 하나 없는 사하라 사막의 유일한 빛은 태양과 달, 그리고 별들이었다. 그리고 그곳에서 내비게이션 없이 자연의 섭리를 파악해 길을 안내해주던 사막 민족을 만났다. 그들은 사막에 의지해 살아가지만, 사막이 주는 만큼만 받고 그 이상을 욕심내지 않았다. 압둘은 베르베르족의 또 다른 이름은 이마지겐 Imazighen이라 했다. 사막의 고귀한 민족이란 뜻이다. 사

하라를 다시 마주하고서야, 사막의 찬란한 빛은 쏟아지는 별
이 아니란 걸 알았다. 고귀한 사막 민족 이마지겐에게서 나오
는 것이었다. 그들이 바로 사막을 밝히는 빛이었다.

길 위에서 받은 축복

꼬질꼬질한 몰골로 메르주가 베이스캠프로 돌아왔다. 물이
귀한 사막이다 보니, 하루 정도는 샤워하지 않기로 했다. 사막
의 유일한 오아시스에서 주민들이 사용할 물을 굳이 낭비하
고 싶지 않았다. 그래서 다음 도시인 페즈로 이동해 숙소에서
편안하게 씻기로 했다. 사하라 사막 투어를 끝내고 온 우리를
파렐이 반갑게 맞아주었다. 피곤한 몸을 이끌며 이동하려던
찰나, 압둘은 부탁이 있다며 파렐의 이야기를 꺼냈다.

"가까운 곳에 파렐의 고향이 있어. 거기에 파렐의 어머님과
가족들이 살고 계셔. 파렐은 아내와 함께 북부에 살고 있어서,
이렇게 먼 남부 사하라까지 자주 내려오진 못해. 집에 들러 어
머니께 안부 인사를 드리고 싶대. 오 분이면 된대. 오 분만 파
렐을 위해 시간을 내줄 수 있어?"

안 될 이유가 없었다. 아들이 어머니를 잠시 뵙고 가겠다고 하는데, 어느 한국인이 고깝게 볼까. 역시나 다들 이 기회에 파렐의 고향집까지 간다며 좋아해 주셨다. 여행을 함께하면서, 파렐의 듬직하고 우직한 모습에 홀딱 반했기 때문이다. 마음 착한 여행자들은 빈손으로 부모님 댁을 방문하는 것은 실례라며, 시장에서 구매한 체리 한 바구니를 선물로 보냈다.

얼마 지나지 않아 파렐이 보였다. 혼자가 아니었다. 파렐을 똑 닮은 장신의 노모가 계셨다. 거동이 많이 불편하신 어머니는 아들의 부축을 받으며 나오셨다. 단순히 배웅하러 나오셨나 생각하던 찰나, 파렐은 길 건너편에 있는 나를 불렀다. 어머니께서 감사의 인사를 전하고 싶다고 하셨다. 사뭇 긴장한 채 인사드리러 길을 건넜다. 쭈뼛거리며 다가간 나를 그저 따뜻하게 안아주셨다. 선뜻 어떤 말도 꺼낼 수 없었다. 그러면 안 될 것만 같았다. 내 두 손을 꽉 잡고 기도를 해주셨기에. 그 언어를 알아들을 수 없었지만, 마주 잡은 손의 온기로 느껴졌다. 낯선 이방인인 나를 위해 기도해주는 그 진심이 따뜻한 온기처럼 스며들었다.

언어도 종교도 다르지만, 눈빛에서 진심을 읽었다. 그건 비단 나만 느끼는 감정은 아니었다. 차에서 우리의 모습을 지켜 보던 이들마저 남몰래 눈물을 훔칠 정도였으니까. 거동이 불편하시지만 떠나는 우리에게 손을 흔들어 주시던 어머니의 마지막 인사 역시 앗살람 알라이쿰, "신의 평화가 함께 하길"

그대의 이름은 압둘

여행도 어느새 막바지를 향해 달려가고 있었다. 여행의 피로가 쌓여 지칠 만도 한데, 매번 다채로운 매력을 뽐내는 모로코로 인해 지루할 틈이 없었다. 붉은 사막과 갈색빛의 건물들만 보다 드디어 마을 전체가 파란색으로 칠해진 블루시티, 셰프샤우엔에 도착했다. 압둘은 설레는 표정을 감추지 못한 채도시를 안내했다. 압둘이 그 어느 때보다도 행복해 보인 이유가 있었다. 그의 고향에 왔기 때문이다. 압둘은 셰프샤우엔에서 태어나고 자라 대학을 졸업하고 무려 30년간 모로코 가이드로 일하고 있었다. 그리고 압둘은 자신이 쌓아온 경력을 토대로, 모로코 현지 문화를 체험할 수 있는 프로그램을 기획하

66

압둘의 목소리가 울려 퍼진다
그의 이야기에 귀를 기울인다
진짜 모로코가 보였고 들렸다
별 쏟아지는 사하라의 밤하늘보다
모로코 그 자체가 좋아졌다

Chefchaouen, Morocco

고, 지역민들의 가이드 교육도 진행하고 있었다. 그래서 그는 모르는 정보가 없었고, 모르는 사람도 없었다.

　이번 모로코 여행은 낯설었다. 익숙한 모로코지만, 마치 처음처럼 느껴졌다. 아마 압둘 때문이지 않을까. 압둘은 모로코 그 자체였고, 그로 인해 진짜 모로코가 시야에 담겼다. 그랬더니 모로코 사람들의 삶이 보이고 이야기가 들렸다. 길 위에서 만난 모로코인들, 그들의 삶은 흔적 투성이었다. 선조들이 일구어낸 땅에서 전통을 유지하며 살아간 흔적, 신의 축복을 받으며 믿음을 지켜온 흔적, 사막의 오아시스를 찾아다닌 흔적, 북적이는 시장을 지나다닌 일상의 흔적들이 눈에 담겼다. 그렇게 나는 사람 냄새 흠씬 풍기는 그들의 삶에 매혹당했다.

　여행지를 관망하는 것을 좋아했던 내게, 여행지에 사는 사람들이 담겼다. 누군가로 인해 그곳에 대한 기억이 바뀌고 결국 내 시야까지 바뀌게 되었다. 그리고 그 변화의 중심에는 모로코인 압둘이 있었다. 사람 사는 모로코 이야기를 알려준 압둘이 있기에, 다음에도 압둘이 사는 모로코를 보러 올 것이다. 그래서 헤어질 때 마지막 인사도 굿바이가 아닌 씨 유 어게인.

가장 중요한 인사를 빼먹으면 안 되겠지 "모두에게 평화를!"

66

스물아홉의 나에게는
애틋했던 이십대에 굿바이를
아직은 낯선 삼십대에 안녕이란
인사를 건넬 여행이 필요했다
아껴둔 여행지, 포르투갈
그곳에서 나와 같은 나이, 같은 이름의 여행자를 만날 줄이야
마치 스물아홉의 또 다른 나를 만난 기분이었다

Sintra, Portugal

chapter 4

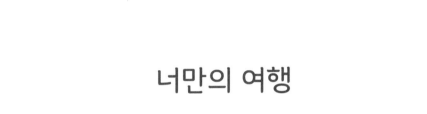

너만의 여행

습관의

버릇화

요즘 여행의 패러다임은 소위 스마트하게 바뀌었다. 어떻게? 스마트폰에서 다운 가능한 수많은 여행 어플로 말이다. 심지어 OTA 플랫폼은 항공, 호텔, 투어, 액티비티 등 각각의 전문 분야를 다룰 정도로 세분화되었다. 항공도 국제선과 국내선으로, 숙소도 호텔과 현지민박으로, 엑티비티도 내국인과 외국인 투어로 포지션을 정해 분업화시킨 것이다. 이렇듯 여행 플랫폼이 다양해지다 보니, 공정여행에 접근하는 방법도 더욱 쉬워졌다.

#Online Travel Agency (OTA)

☐ 에어비엔비로 현지인 숙소 또는 게스트하우스 예약

☐ 여행플랫폼으로 간편하게 도시별 전문가이드 투어 예약

☐ 클룩, 와그, kkday 등을 통해 현지 액티비티와 입장권 구매

☐ 트립어드바이저로 레스토랑 정보 간편 검색

☐ Google Map으로 도보 또는 대중교통 이용

이제 클릭 한 번으로, 마음에 드는 현지인의 숙소에서 지낼

수 있고, 지역 주민들이 준비한 쿠킹클래스에 참여할 수도 있고, 최적의 이동 동선을 확보해주는 위치기반 서비스로 도보 여행도 가능해졌다. 이미 예약만으로도 공정여행 원칙 3가지나 실천한 것이다. 게다가 두꺼운 예약 바우처가 스마트폰 캡처로 대체되었으니, 종이까지 아낀 셈이다. 그렇다면 여행지에서 실천할 수 있는 원칙도 몇 가지 정해보자. 먼저 여행하는 국가에 맞는 주제를 정하고, 그 범위 내에서 실천할 수 있는 원칙을 선택하는 거다. 이해를 돕기 위해, 내가 지키고자 하는 테마와 원칙을 소개하겠다.

#Europe; Italia

☐ 테마: 지구를 지켜라!

☐ 첫 번째. 천천히 걸어 다니기

☐ 두 번째. 빠르게 페달 밟기

☐ 세 번째. 제로 웨이스트 실천하기

유럽의 경우, 내가 정한 테마는 '하나뿐인 지구를 지켜라.' 여행지에서 하루 2~3만 보를 걷는다. 공유자전거가 있는 여행지라면, 대중교통보다는 자전거를 이용한다. 도심의 혼잡을 피하고 환경오염을 줄일 수 있다. 그리고 손수건과 텀블러를 들고 다니고, 커피는 테이크아웃 하지 않고 그 자리에서 마시며, 젤라또는 일회용 컵이 아닌 과자로 만든 콘으로 먹는다. 일상생활 속에서 버려지는 쓰레기 배출을 최소화한다.

#Asia; Vietnam

☐ 테마: 다국적 기업을 피해라!

☐ 첫 번째. 에코롯지 이용하기

☐ 두 번째. 동물보호 실천하기

☐ 세 번째. 현지문화 체험하기

동남아시아에서는 현지인에 의한, 현지인을 위한 여행을 하려고 노력한다. 그래서 다국적 기업이 소유한 체인 호텔이 아닌, 현지인이 운영하는 친환경 숙소를 이용하고, 외국인이 운영하는 초대형 워터파크와 동물원은 가지 않으며, 동물보호 기관에서 만드는 굿즈는 구매하며, 현지인이 진행하는 골목 맛집 투어 또는 쿠킹 클래스에 참여한다. 그래서 현지에서 쓰는 비용이 지역민에게 돌아가 그들의 삶에 보탬이 될 수 있게끔 소비한다.

지극히 주관적인 예시긴 하지만, '나'의 경우에는 일상에서 지키는 습관을 여행지에서도 버릇처럼 만들려고 노력 중이다. 내 나라의 환경은 소중히 지키면서, 남의 나라에서는 관대해지면 안 되니까. 내가 정한 원칙은 꼭 지키는 거다. 그러면 최소한 비행기가 날아오를 때, 티스푼 정도의 죄책감은 더는 것 같은 느낌이 들거든.

어떻게

여행할래?

어떻게 여행하긴, 그대들이 원하는 방식으로 여행하면 되지. 여행에는 기술도 없고, 정답도 없다. 그러니 방식에 얽매이지 말고, 자유롭게 자신만의 여행을 만들어 가면 되는 것이다. 요즘 여행자들이 자신의 취향을 반영한 지극히 개인적인 여행을 하는 것처럼 말이다. 물론, 그 취향의 영역에 지구를 지키는 '지속 가능한 여행'이 자리 잡을 수도 있다. 최근 들어, 제로웨이스트 Zero Waste와 동물복지, 그리고 착한 소비가 트렌드로 떠오르면서 지속 가능한 공정여행에 관한 관심이 높아졌기도 하다.

그런 개인적인 취향으로서의 관심을 가지고 이 여행을 해보고자 하는 누군가가 있다면 두 팔 벌려 환영한다. 나 역시 지극히 개인적인 취향으로 공정여행을 시작했다. 짱이와 별이의 반려가족이 되면서 동물원과 수족관은 가지 않았고, 동물을 혹사시키는 쇼나 투어에 참여하지 않으며, 가죽가방 대신 에코백을 메고 다니면서 지극히 개인적인 공정여행에 첫발을 디뎠으니까 말이다.

여행을 공정하게 변화시키는 건, 결국 여행의 주체인 여행자들이다. 그 여정에 살포시 발을 담갔다면, 이제부터 그대도 자신만의 여행을 만들어가는 공정여행기획자이자 공정여행자인 것이다.